D1016675

Garfield County Libraries
402 W. Main Street
New Castle CO 81647

www.garfieldlibraries.org
970-984-2346

La dieta
de sirope de arce
y zumo de limón

Para ampliar más tu saber y eliminar
tus limitaciones, Stanley Burroughs ha perfeccionado la
Terapia del color y el sistema de control Vitaflex
en un libro titulado
La sanación en la Era de la Iluminación

Stanley Burroughs

*La dieta
de sirope de arce
y zumo de limón*

EDICIONES OBELISCO

Si este libro le ha interesado y desea que le mantengamos informado de
nuestras publicaciones, escríbanos indicándonos qué temas son de su interés
(Astrología, Autoayuda, Ciencias Ocultas, Artes Marciales, Naturismo,
Espiritualidad, Tradición...) y gustosamente le complaceremos.

Puede consultar nuestro catálogo en www.edicionesobelisco.com

*Los editores no han comprobado ni la eficacia ni el resultado
de las recetas, productos, fórmulas técnicas, ejercicios o similares
contenidos en este libro. No asumen, por lo tanto, responsabilidad
alguna en cuanto a su utilización ni realizan asesoramiento al respecto.*

Colección Salud y Vida natural
LA DIETA DE SIROPE DE ARCE Y ZUMO DE LIMÓN
Stanley Burroughs

1ª edición: enero de 1999
2ª edición: julio de 2006

Título original: The Master Cleanser

Traducción: *Jordi Quingles*
Maquetación: *Imelda Hernández Simón*
Corrección: *Anna Ubach*
Diseño de cubierta: *Mònica Gil Rosón*

© 1976, Stanley Burroughs
(Reservados todos los derechos)
© 1999, Ediciones Obelisco, S.L.
(Reservados los derechos para la presente edición)

Edita: Ediciones Obelisco S.L.
Pere IV, 78 (Edif. Pedro IV) 3ª planta 5ª puerta.
08005 Barcelona - España
Tel. 93 309 85 25 - Fax 93 309 85 23
E-mail: obelisco@edicionesobelisco.com

Paracas, 59, 1275 Buenos Aires - Argentina
Tel. +54(011)4305-0633 - Fax: +54(011)4304-7820

ISBN: 84-7720-681-3
Depósito Legal: B-32.543-2006

Printed in Spain

Impreso en España en los talleres gráficos de Romanyà/Valls S.A.
Verdaguer, 1 - 08076 Capellades (Barcelona)

Para darte esperanza.
Para darte conocimiento.
Para darte la verdad.

❧

Te ofrezco este libro para ayudarte
y ayudar a los demás.
Haz lo que en este libro se explica
y descubrirás la esencia de la curación.

Stanley Burroughs

Cuando aprendas a conocer mis caminos,
mis caminos serán los tuyos,
en sintonía con los principios universales
de vivir con plenitud
en armonía con la mente universal.

EL UNO UNIVERSAL

Tal vez sea bueno que la medicina y la naturaleza
nunca hayan llegado a juntarse:
la naturaleza podría haber sufrido fácilmente
sus numerosos y peligrosos efectos secundarios.

❧

La bendición

❧❧

Pedir a Dios que bendiga los alimentos que vamos a tomar es un rito establecido que se ha ido transmitido de generación en generación. Y algunos creen que facilita una mejor nutrición y curación, al acentuar las vibraciones de los alimentos. Pero es mejor pedir a Dios que bendiga nuestra selección de los alimentos más completos a la hora de hacer la compra, pues eso mejorará nuestras necesidades físicas y espirituales.

Pedirle que bendiga la preparación de los alimentos y que nos conceda moderación en el comer, a fin de permitir que nuestros cuerpos reciban el máximo valor de aquello que Dios nos ha proporcionado en gran abundancia para nuestro consumo diario.

Pedirle que bendiga a los animales, peces o aves que NO matamos, a fin de que podamos procurarnos mejor sustento con las cualidades más estimables de la fruta fresca, las verduras y los cereales.

Mejor es pedir a Dios que nos dé SABIDURÍA para conservar nuestros cuerpos fuertes y sanos a fin de que no tengamos necesidad de pedirle que sane un organismo enfermo que nosotros mismos habremos creado al no haber obedecido desde el principio sus sencillas leyes.

No culpemos a Dios por las muchas enfermedades y dolencias que nosotros mismos hemos creado (¡no son «Obra de Dios»!). Es mejor pedirle su bendición y su perdón, y que nos dé fuerza y sabiduría para aplicar adecuadamente el conocimiento de sus sencillas leyes.

I

La dieta de sirope de arce y zumo de limón

❧

Tanto para el principiante como para el alumno adelantado, la depuración es básica para la eliminación de todo tipo de dolencias. La intención de este libro es presentar de forma simple la causa y la corrección de todos los trastornos, sean cuales sean los nombres con que los designamos. Cuando eliminamos y corregimos una enfermedad, las corregimos todas, pues cualquiera de ellas se corrige con el mismo proceso de depuración y de fomento de una auténtica buena salud.

El dominio del hombre sobre la enfermedad sólo será definitivo cuando la ignorancia y el miedo sean vencidos por la correcta observación de las leyes que tienen que ver con la formación de los huesos, la carne y la sangre.

Desde tiempo inmemorial y todavía en la actualidad, el hombre ha sido esclavo del sufrimiento y la aflicción, mientras la brujería y el curanderismo –con licencia o sin ella– han copado el campo curativo de la desinformación.

Cuando menos, la causa fundamental de la enfermedad ha dejado de ser un enigma. Los malos hábitos alimentarios, la falta de ejercicio, las actitudes mentales negativas y la falta de armonía espiritual se combinan para producir toxinas y disfunciones en nuestro organismo.

La eliminación de la causa de la enfermedad es obviamente, pues, el único camino hacia la curación y la salud. La supresión de los hábitos que causan la enfermedad se logra mediante la actitud positiva de desarrollar las prácticas adecuadas que fomenten la salud, combinada con técnicas correctoras que eliminen los efectos indeseables de nuestros incorrectos comportamientos anteriores.

Un conjunto de leyes sencillas y automáticas del plan maestro para una vida creativa han ofrecido al paciente una respuesta y la liberación de sus distintas clases de dolencias.

Esas leyes, que tienen que ver con la construcción y reconstrucción de un organismo más perfecto, son ilimitadas dentro del plan universal para el hombre.

Aunque hemos visto y experimentado en diversas fases de nuestras vidas la acción de estas leyes, cómo ellas crean y recrean automáticamente, sólo las hemos descubierto y usado con conocimiento de causa en contadas ocasiones.

Pero cuando trabajamos con estas leyes con conocimiento de causa, obtenemos una respuesta simple a nuestras múltiples dolencias y trastornos.

Para la mayoría de nosotros estas leyes han sido sustituidas por las leyes del «Curar matando», con sus innumerables prácticas y remedios milagrosos de efectos devastadores.

Estas verdades se vuelven de suyo evidentes cuando consideramos la historia de nuestras enfermedades y comprobamos nuestros fracasos en la constante búsqueda de soluciones. Si eso no resulta suficiente, sigamos con nuestras continuas dolencias hasta que nuestros sufrimientos generen al fin el deseo de conocer esas distintas verdades.

Cuando por fin lleguemos a estar hartos de estar enfermos, entonces estaremos preparados para conocer la verdad, y la verdad nos hará libres. Esta dieta demostrará que nadie tiene por qué vivir con sus dolencias. Una vida entera libre de enfermedades puede ser un deseo que se convierta en realidad.

Para que sea completo, un sistema curativo debe abarcar todo el campo de las experiencias humanas, física, mental y espiritualmente.

Un sistema que niegue una parte cualquiera de esa trinidad fracasará en su intento de curar en la misma medida en que niegue esa parte.

Es cierto que muchas tensiones psicológicas, mentales y sociales pueden agravar nuestros problemas, pero no son ellas las que producen nuestras afecciones. Sin embargo, esas tensiones nos pueden impulsar a comer en exceso –tanto buenos como malos alimentos–, lo cual origina, a su vez, la gran variedad de enfermedades que padecemos.

El siguiente programa ha sido sometido a prueba desde 1940 en todo el mundo, y se considera la dieta con mayores éxitos en su género. Su enfoque positivo orientado a lograr la perfección en el campo de la depuración y la curación no tiene rival. Como tampoco lo tiene por lo rápido y completo que resulta. Es insuperable en todos los aspectos como dieta de adelgazamiento y como dieta para fortalecer el organismo.

Como creador de esta dieta superior, se la ofrezco humildemente pero a la vez con orgullo, convencido de que su uso le proporcionará salud y vigor.

Muchos de los principios que se exponen en esta obra puede que estén completamente reñidos con todo lo que hayáis creído o estudiado hasta ahora. Pero, independientemente de que creas o no en ellos, la realidad es que pueden ser ciertos. Antes de tratar de discutir o negar estos hechos, pruébalos tal como se te ofrecen hasta comprobar por ti mismo si son ciertos o falsos. Las afirmaciones que hacemos y los datos que ofrecemos no son sino el acopio de años de experiencia, investigación y resultados, que se ofrecen luego como hechos. Haz las mismas comprobaciones y puedes estar completamente seguro de que también experimentarás idénticos resultados. No intento aquí, en ningún momento, confundirte con teorías que no pueden probarse o que no resulten ciertas. No quiero complicarte las cosas, ni hacer afirmaciones ambiguas o sin sentido. La llaneza y la precisión serán la consigna a lo largo de este libro.

Este sistema no admite limitaciones en cuanto a la capacidad del organismo de curarse a sí mismo.

Carta de alguien que lo había probado todo.
¡Saltarte una comida no te hará daño!
POR HERMAN SCHNEIDER

Desde los tiempos de Jesucristo, el cual ayunó durante cuarenta días, los hombres y las mujeres se han abstenido de comer, en ocasiones, por diversas razones: por salud, por motivos políticos o para obtener iluminación espiritual.

No obstante, la mayoría de personas, no habituadas al ayuno, creen que morirán si suprimen una comida. Si oímos decir que alguien murió después de haber estado perdido en un bosque o en alta mar durante dos o tres días, no fue la falta de alimento lo que causó su muerte, sino el pánico. La mayoría de personas que gozan de buena salud pueden pasar muchos días sin comer, pero el cuerpo necesita agua, aunque existe un ayuno, llamado «ayuno seco», que emplea pan seco y nada de líquidos. No obstante, este tipo de ayuno no se puede resistir durante mucho tiempo.

Existe un amplio desacuerdo en el campo de la salud sobre cuál es el mejor método para desintoxicar el organismo. Los Higienistas, la mayoría de los cuales son seguidores del doctor Herbert Shelton, gran partidario del ayuno, emplean sólo agua destilada, y los enemas son tabú. El doctor Shelton y otros médicos higienistas han hecho ayunar a miles de personas, la mayoría de las cuales recobraba la salud como resultado del ayuno. Naturalmente, después del ayuno era preciso que siguieran un modo de vida sano. Los Higienistas son vegetarianos estrictos y ponen el énfasis en el consumo de alimentos crudos y en el empleo de las combinaciones adecuadas.

Los doctores Walker y Airola son partidarios de consumir zumos de frutas y jugos de verduras si es necesario ayunar. En

Europa, los naturópatas emplean más el ayuno con caldo vegetal y jugos de verduras que el ayuno con agua. Los doctores citados también emplean lavativas, que son esenciales para el éxito de su sistema, pues, en su opinión, el objetivo es eliminar del organismo las toxinas liberadas por la cura.

Hace trece años, yo tenía la tensión arterial sumamente alta. No me encontraba nada bien, de modo que acudí al médico. Éste me dijo, tragando saliva: «Tiene la tensión a 20 y a 12».

Dijo que me daría una medicación, pero como yo no creía que los medicamentos fueran la solución para mí, le pregunté: «¿Cuánto tiempo voy a tener que tomarlos?». Me contestó: «Su hipertensión irá empeorando progresivamente, de modo que deberá medicarse toda su vida». Y añadió: «En treinta años de profesión, sólo he tenido dos pacientes que hayan podido dejar la medicación».

No me gustó esta respuesta, y le dije: «Pues aquí tiene usted al tercero».

Me miró y se encogió de hombros como diciendo «Está loco». Pero dijo: «Tengo cientos de pacientes que toman medicación para la tensión arterial, y usted es el único que hace aspavientos».

Tomé el medicamento durante una semana. Pero me daba mareos, de modo que me cambió el tratamiento. Me recetó un medicamento para la tensión arterial y otro para los nervios, pero éste me dejaba abatido; de modo que me recetó otro fármaco para que me estimulara, anulando los efectos del primero.

Cambio de sistema

Decidí que este sistema no era lo que yo necesitaba, de modo que acudí a la clínica del doctor Shelton en San Antonio, Texas. Cogieron todos mis medicamentos y los tiraron a la basura. Me mandaron a la cama a empezar un ayuno. Nunca hubiera creído que pudiese estar tantos días sin comer, pero ayuné durante 21 días, sin tomar nada más que agua destilada.

Durante un largo ayuno, cuando el cuerpo empieza a expulsar todos los tóxicos, es cuando aparecen realmente las afecciones que uno puede tener sin ser consciente de ellas. El hombre que ayunaba en la habitación contigua sufrió de cálculos biliares a los 24 días de ayuno. Antes del mismo, no sabía que tuviera cálculos, y la verdad es que padeció para eliminarlos. Después de muchos años dedicado al estudio de la medicina natural y la herbología, ahora sé que aquel hombre se podía haber librado de sus cálculos biliares de un modo mucho más agradable, tomando zumo de manzana, aceite de oliva y zumo de limón.

Yo mismo sufrí algunas ligeras reacciones a causa de mi extrema debilidad. El mayor problema lo constituían los dolorosos espasmos abdominales por la presencia de gases en los intestinos. También sangré un poco, pues aquéllos trataban de vaciarse sin una masa que los ayudara a moverse.

Si me hubiesen puesto un enema, mis problemas habrían sido mucho menores, pero los Higienistas no creen en enemas, laxantes o hierbas. Dicen que la naturaleza debe seguir su curso.

Al que ayuna le hacen guardar cama casi todo el tiempo, empleando la energía propia para desintoxicarse.

Durante los 21 días que duró mi ayuno, perdí unos 5 kilos, que recobré poco a poco durante el proceso de regeneración, el cual debe durar igual que el ayuno. Así pues, no pude acudir al trabajo durante 42 días.

El ayuno no fue agradable, aunque en realidad pierdes las ganas de comer después del tercer día; pero los resultados fueron muy buenos y merecieron la pena: mi tensión arterial era, después de la recuperación, de 12 y 8, lo cual es perfecto.

Después de ese ayuno, realizado hace trece años, he ayunado muchas otras veces, manteniéndome sólo con jugos de verduras y usando lavativas tal como preconiza el doctor Walker. Los ayunos fueron de corta duración, entre dos y cinco días.

Hace aproximadamente un año fui a ver a un quiropráctico para un ajuste. Charlamos un poco y él me dijo que trabajaba con un libro titulado *The Master Cleanser* (*La dieta de sirope de arce y zumo de limón*), de Stanley Burroughs, un médico naturista con más de cuarenta años de experiencia.

La depuración empieza con una infusión de hierbas laxantes tomada por la mañana y por la noche. Si esto no resulta suficiente para limpiar completamente el tracto intestinal, recomienda un lavado con agua salada. Estas medidas son necesarias para eliminar las toxinas liberadas por la cura de zumo de limón.

Tenía que beber entre seis y doce vasos de un zumo, consistente en zumo de limón y jarabe de arce en la proporción adecuada, más un poco de cayena para que arrastre la mucosidad liberada por la cura.

El libro de Burroughs describe todo el programa, incluyendo orientaciones para que los diabéticos puedan dejar la insulina.

Por mi parte, creo que los diabéticos deben ponerse en manos de sus médicos si deciden seguir el método de Burroughs. Éste no les aconseja tomar jarabe de arce al comienzo, sino melaza. El zumo de limón, el jarabe de arce y la melaza tienen un alto contenido en minerales y vitaminas.

Seguí la dieta de sirope de arce y zumo de limón 12 días, durante los cuales hice ejercicio, practiqué *jogging* y trabajé, sintiéndome más fuerte cada día que pasaba, a medida que la purificación avanzaba. Luego, fui dejando la cura poco a poco, tomando zumos y caldos durante tres días. Y en todo ese proceso, nunca tuve hambre.

El punto más importante en toda cura o ayuno es saber salir de él, permitiendo que el cuerpo se vaya acomodando poco a poco, nuevamente, al consumo de alimentos sólidos. Con un sistema inadecuado se pueden producir enfermedades e incluso la muerte.

Como mi peso era el normal cuando empecé la cura, sólo perdí un kilo y medio en doce días. Las personas con problemas de sobrepeso pierden mucho más.

El método Burroughs exige una dieta vegetariana, pero esta parte del programa me fue fácil de aceptar pues soy vegetariano desde hace años, y como casi únicamente alimentos crudos.

Sigo esta cura dos o tres veces al año. Y acabo de leer en el libro de Linda Clark que ella lleva años practicándola.

Burroughs dice que no hay ningún peligro en seguir la dieta de sirope de arce y zumo de limón incluso durante 40 días, pues el limón, el jarabe de arce o la melaza y la cayena actúan no sólo como purificadores, sino también como edificadores del organismo.

En mi opinión, la cura Burroughs me dio los mejores resultados, pues me permitió estar activo y lleno de vigor durante todo el tiempo que duró.

No he vuelto a ver a ningún médico, pero mi tensión arterial sigue siendo la normal después de todos estos años.

Unas palabras acerca de las «epidemias» y las enfermedades «producidas por gérmenes»

En toda la historia de la humanidad, ha habido continuas epidemias de muchas enfermedades. Pero apenas se sabe por qué ocurren estas cosas. En la Antigüedad se las tenía, según los casos, por obra del diablo, castigo de Dios, o envenenamiento de las aguas por parte de algún enemigo. En tiempos recientes se creyó que esas diversas enfermedades eran contagiosas y que los gérmenes las propagan. Esta creencia ha dado nacimiento a un monstruo, pues la ciencia médica se ha dedicado a crear formas cada vez más potentes de medicamentos, tóxicos y antibióticos en un esfuerzo constante por destruir aquello que reputaban era la causa. Así, se han desarrollado una gran variedad de vacunas y antitoxinas, por creer en la existencia de una gran variedad de bacterias y virus.

La idea es siempre que debemos matar esas formas de vida a fin de liberarnos de la enfermedad. No obstante, a pesar de la investigación a gran escala y de la elaboración y uso generalizado de aquellos productos, la humanidad continúa padeciendo una creciente variedad de enfermedades y trastornos, sin que se vislumbre un final.

La enfermedad, la vejez y la muerte son el resultado de la acumulación de tóxicos y congestiones por todo el organismo. Estas toxinas cristalizan y se solidifican, fijándose en las articulaciones y los músculos y en los miles de millones de células de nuestro organismo. La medicina convencional supone que gozamos de perfecta salud hasta que viene algo, tal como un virus o una bacteria, que la deteriora, pero la realidad es que el material de construcción que forma las células y los órganos es defectuoso, y éstos son, por lo tanto, inferiores o enfermizos.

Por todo el cuerpo, y especialmente en las glándulas linfáticas, se forman bultos y tumores que son puntos de almacenamiento de los productos de desecho que se acumulan. Estas acumulaciones se rebajan y se deterioran de distintas formas, causando la degeneración y la descomposición. El hígado, el bazo, el colon, el estómago, el corazón y el resto de órganos, glándulas y células de nuestro organismo son blanco de esas acumulaciones, que menoscaban sus funciones naturales.

Estos bultos y tumores se nos aparecen como modalidades de hongos. Su crecimiento y propagación dependen del material de desecho inutilizable de todo el organismo. Si el deterioro continúa, esos tumores aumentan de tamaño y se hacen cargo de la situación. Los hongos absorben los tóxicos y tratan de obtener el material inferior de los órganos. Esto es parte del plan de la naturaleza para liberarnos de las enfermedades. Cuando dejamos de alimentar a esos hongos y purificamos nuestro organismo, interrumpimos con ello su crecimiento y propagación; luego, se disuelven o se deshacen y desaparecen del organismo: no se alimentan de tejidos sanos.

Hay un sencillo conjunto de leyes que explican esta acción. La naturaleza nunca produce algo que no necesita, ni conserva algo que ya no emplea. Todo el material de desecho o no utilizado, es disuelto por la acción de bacterias para que pueda ser usado de nuevo o eliminado del organismo. Todas las células débiles y defectuosas, producto de una nutrición deficiente, también son descompuestas y eliminadas del organismo.

Pasamos gran parte de nuestra vida acumulando esas enfermedades, y luego pasamos el resto de nuestra vida tratando de librarnos de ellas, ¡o morimos en el intento!

La defectuosa comprensión de estas verdades que acabamos de exponer ha llevado tanto a los pueblos salvajes como a los civilizados a buscar algún «remedio mágico» en todo tipo de encantos, brujerías y un sinfín de medicamentos y tóxicos nocivos. Pero en general, éstos son peor que inútiles, pues no pueden de ningún modo eliminar la causa de la enfermedad; sólo pueden añadir sufrimientos y contribuir a acortar aún más la vida. Muchos libros y artículos destacan el hecho de que muchas dolencias y enfermedades nuevas son el resultado de los métodos ortodoxos y hospitalarios.

Y a medida que continuamos esforzándonos por obtener esos «remedios mágicos», cada vez nos las tenemos que ver con variedades más complejas de enfermedad. Por el contrario, una comprensión y una acción simples han demostrado ser siempre el mejor método para eliminar nuestras acciones y reacciones negativas.

Los gérmenes y los virus no causan ni pueden causar ninguna de nuestras enfermedades, de modo que no tenemos necesidad de encontrar distintos tipos de venenos que acaben con ellos. *En realidad, el hombre no encontrará nunca un veneno o un conjunto de venenos lo bastante potente como para acabar con los miles y miles de millones de gérmenes que existen, sin destruirse a sí mismo al mismo tiempo.*

Estos gérmenes son amigos nuestros, no son malos, y si les damos la oportunidad, disuelven y consumen todos esos enormes montones de material de desecho y nos ayudan a eliminarlos de nuestro organismo. Estos gérmenes y virus sólo existen en exceso cuando nosotros les facilitamos un caldo de cultivo donde multiplicarse. Pero los gérmenes y virus están en el organismo para ayudar a éste a descomponer el material de desecho, y no pueden dañar los tejidos sanos.

¿Crees que si, estando fuerte y sano, un microscópico e insignificante microbio puede presentarse y enfermarte, tendrás alguna posibilidad de fortalecerte lo bastante como para expulsarlo alguna vez? ¿Crees que unos tóxicos destructivos pueden posibilitar más rápido tu curación?

Todas las enfermedades, sean cuales sean sus nombres, entran dentro de esta comprensión, pues son simplemente expresiones variadas de una única enfermedad: la *toxemia*.

Como apuntábamos más arriba, nos están diciendo continuamente que los investigadores están a punto de realizar un gran descubrimiento que acabará finalmente con todas nuestras enfermedades. Este descubrimiento no se producirá nunca hasta que su errónea actitud científica sea sustituida por la ciencia natural del secreto de la energía vital y su acción creativa en nuestro interior. Sólo mediante una actitud abierta hacia la realidad de la energía o fuerza vital, conoceremos la verdad que hay detrás de las epidemias y eliminaremos su causa.

Básicamente, todas nuestras enfermedades las creamos nosotros mismos por no haber dedicado nunca el tiempo necesario para averiguar cuáles son los verdaderos alimentos que debe consumir el ser humano. Podemos fabricar cuerpos sanos consumiendo los alimentos adecuados y eliminando los alimentos muy tóxicos y que generan mucosidad.

Cuando sepas más sobre nutrición, te darás cuenta de la gran cantidad de alimentos que producen un exceso de mucosidad en nuestro organismo, y verás que esta afección se convierte en el caldo de cultivo de todo tipo de gérmenes.

Sabemos que en la naturaleza todo se mueve en círculos, cambiando constantemente, y constantemente eliminando lo viejo y edificando lo nuevo. Por consiguiente, cuando una persona llega a ese «punto de no retorno» en que sus acumulaciones han alcanzado el límite de lo que el organismo puede soportar, entonces se produce un cambio súbito o, si no, la persona muere. El ciclo ha llegado al punto en que debe precederse a una buena limpieza general, y uno de los métodos más eficaces de que dispone la naturaleza es el de empezar a soltar y eliminar esos tóxicos merced a la acción de las bacterias. Cuando este mecanismo se activa, caemos enfermos y tenemos un estado febril, eliminamos una gran cantidad de mucosidad, la diarrea incrementa el vaciado de material de desecho y todos nuestros recursos se ponen en marcha para purificarnos lo más rápidamente posible, a fin de evitar que esos tóxicos acaben con nosotros. Cuando esto suceda, no debemos asustarnos y recurrir al empleo de medicamentos y antibióticos, que con su acción antinatural sólo sirven para entorpecer las leyes de la naturaleza. Los medicamentos interrumpen los cambios naturales, al eliminar la acción purificadora, y almacenan los tóxicos en el organismo, lo que causará la aparición de otros problemas en el futuro.

Si reconocemos esas señales de peligro y ponemos a trabajar nuestras capacidades al máximo, podremos sobrevivir a la prueba y llevar una vida normal hasta que otras acumulaciones desencadenen otro cambio vital. No obstante, el sistema más lógico es impedir desde el comienzo que esas acumulaciones se produzcan, y así nos evitaremos las incomodidades que conlleva el riguroso proceso de purificación.

Cuando las afecciones que evocábamos más arriba se extienden cada vez a más gente al mismo tiempo, entonces es cuando se origina una «epidemia». Muy a menudo las epidemias aparecen después de un atracón festivo. Pues incluso los alimentos más apropiados, si se consumen en exceso, pueden causar problemas.

Si sólo se comen alimentos adecuados y en la cantidad suficiente, no será necesario pasar por un proceso de enfermedad purificadora, pues el funcionamiento normal del organismo será entonces el adecuado.

Nuestro árbol genealógico:
limas y limones

Las carencias ciertamente existen, sobre todo a causa de una alimentación inadecuada y de una mala asimilación. Y estas carencias también producen toxinas, debido al deterioro de las células. Así pues, hablamos siempre de una única enfermedad, y con un método muy simple podemos eliminar todas las supuestas enfermedades o como queramos llamarlas. Cuando expulsamos de nuestro organismo todas las toxinas que originan enfermedades, debemos también cubrir las carencias. Así pues, una dieta de purificación *debe incluir igualmente el material de construcción apropiado que sustituya al material de desecho que se elimina.*

Existe todavía otro factor a considerar para que todo el sistema resulte absolutamente comprensible. Puesto que no son los gérmenes los que provocan nuestros trastornos, debe haber otra razón lógica que explique la aparición de una epidemia. Se trata de una simple cuestión de «vibraciones». Cuanto mejores sean las condiciones físicas y mentales de una persona, mayor es su vibración. Pero a medida que va quedando cada vez más obstruida por el material de desecho, sus vibraciones van disminuyendo cada vez más, hasta que llega un momento en que necesita un cambio. Si entonces se pone en contacto con otras personas que ya han comenzado el proceso de purificación, recoge la vibración del cambio y todas sus funciones se ponen a trabajar en la misma dirección. Esto puede ocurrirle a cualquier grupo de personas que compartan la misma afección, y de este modo la epidemia desaparece. A la persona con un cuerpo libre de toxinas y una mente serena no le afecta para nada una epidemia.

Orígenes de la dieta de sirope de arce y zumo de limón

La dieta de sirope de arce y zumo de limón, que ahora describiremos, ha demostrado con éxito y sin excepciones su capacidad para eliminar toxinas y reedificar el organismo. Y puede usarse con todas las garantías para cualquier tipo de enferme-dad conocida.

Los limones y las limas son la fuente más poderosa de mine-rales y vitaminas de todos los alimentos conocidos por el hom-bre, y están disponibles todo el año. Así pues, esta dieta puede usarse con éxito todos los meses del año y en prácticamente todos los rincones de la Tierra. Su disponibilidad y atractivo universales la hacen agradable y fácil de seguir.

La dieta a base de sirope de arce y zumo de limón fue usada por vez primera, hace más de cuarenta años, como remedio para las úlceras de estómago. Bob Norman me ha concedido permiso para hacer pública mi primera experiencia con esta dieta.

Un día, poco antes de conocer a Bob, tuve la idea de poner por escrito de forma completa esta dieta, orientada a aliviar y curar úlceras de estómago en diez días. La puse enseguida por escrito pormenorizadamente y esperé a que apareciera un caso para hacer la prueba, algo que siempre solía ocurrir cuando lo necesitaba.

Bob Norman padecía de una úlcera desde hacía casi tres años. Durante ese tiempo, había probado todos los remedios conocidos hasta entonces, pero no había encontrado nada, por lo que respecta a medicamentos o tratamientos, que sirviera más que para proporcionarle un alivio pasajero. Tenía que comer algo cada dos horas, pues de lo contrario experimenta-ba un agudo dolor. Los tres meses anteriores a nuestro encuen-tro, Bob los había pasado tomando casi exclusivamente leche de cabra. Su médico quería operarle, pero él se negaba. Creía que cualquier cosa sería mejor que eso. Me dijo que yo sería la última persona a la que acudiera. Si yo no podía ayudarle, se iría a su casa para morir, pues la vida apenas tenía interés para él en esas condiciones.

En este punto resulta necesario ofrecer una explicación acer-ca de lo que causa las úlceras. Existe una capa de sodio que cubre las paredes interiores del estómago. Si se conserva intacta, evita que los jugos gástricos digieran al propio estómago. No obstante, si alguna forma de alimento cárnico penetra en el estómago, la carne atrae al sodio del mismo modo que lo hacen las propias paredes del estómago. Parte de ese sodio se desprende de las paredes y se adhiere en torno a la carne, lo que impide que ésta se digiera en el estómago y al mismo tiempo reduce la cantidad de sodio de las paredes del estómago.

Si el consumo continuado de carne se combina con una alimentación pobre en sodio, entonces esa capa de sodio de las paredes del estómago no se repone y los jugos gástricos empiezan a digerir al propio estómago, produciendo lo que llamamos una úlcera. Y cuando esto ocurre, todos los métodos convencionales para curar las úlceras se revelan del todo inútiles.

En ocasiones, la carne puede permanecer en el estómago durante dos horas o más, y empieza a fermentar y a deteriorarse. Para poder ser descompuesta y digerida, debe pasar al intestino delgado. Todas las carnes son más lentas de digerir que la fruta y las verduras. Y el pollo y las carnes de otras aves de corral son las que más cuesta digerir. Aunque nuestro cuerpo esté compuesto de carne, ello no implica que la carne que comemos sea fácilmente utilizable por nuestro organismo; de hecho, es justo al revés.

Cuando reparamos en que todas las carnes son alimentos extremadamente tóxicos, entonces resulta obvio que constituyen una forma de alimentación absolutamente indeseable. Al comer carne, debemos pensar en todos nuestros órganos de eliminación. Éstos están consagrados primordialmente a eliminar *nuestros propios residuos*. Cuando consumimos carne de animales, que contiene los desechos de sus células (además de medicamentos y otros materiales inutilizables), esos órganos deben realizar un esfuerzo suplementario, lo que origina finalmente distintos trastornos.

Debemos recordar que todo alimento sólido debe pasar antes a estado líquido para que la sangre pueda transportarlo por todo el organismo y éste pueda nutrirse. Y todos los alimentos cárnicos (incluyendo el pescado) tardan mucho más en alcanzar ese estado que la fruta, las verduras y los cereales, y además son menos útiles para el organismo que éstos.

Pero volvamos a nuestro relato. Después de la explicación de Bob, le pregunté si quería curarse de su úlcera en diez días. Asintió, y yo le pasé el papel donde estaba escrita la dieta. Lo leyó y me lo devolvió, diciendo que no podía de ningún modo seguir ese régimen, pues durante tres años todos los expertos le habían aconsejado que nunca tomara cítricos, y un zumo de limón no era otra cosa más que eso.

Pero como los métodos ortodoxos habían fracasado completamente en curarle la úlcera, yo argumenté que tal vez todos los que le habían aconsejado estaban equivocados. Y puesto que la dieta de zumo de limón y sirope de arce era *contraria* a las prácticas habituales (que habían fracasado), la lógica me imponía pensar que ésta podía curarle. Sabía que no podía perjudicarle y estaba seguro de que sólo le reportaría beneficios.

Le dije a Bob, pues, que si todas las opiniones de los expertos fueran correctas, su úlcera ya se habría curado tres años atrás, y que era posible que justamente aquello que le habían dicho que nunca tomara fuera lo único que él necesitaba. «De acuerdo –dijo–, lo probaré... ¡aunque acabe conmigo!» Le aseguré que eso no ocurriría.

Al cabo de cinco días de haber empezado la dieta, Bob me llamó. Aunque no había sufrido dolores desde el comienzo, tenía miedo de que éstos volvieran de repente y su estado fuera tan angustioso como antes, cuando tenía que comer algo cada dos horas, o de lo contrario sentía dolor. El día anterior había pasado ocho horas sin tomar nada y no había sentido dolores, pero aun así todavía albergaba temores. Le garanticé que si no había sentido dolor durante esos cinco días, todo iría bien y le dije que continuara del mismo modo hasta completar los diez días de dieta.

Al undécimo día lo reconoció su médico, quien constató que la úlcera estaba completamente curada. Sobra decir que el médico estaba absolutamente sorprendido, pues antes de la dieta había sometido a Bob a un reconocimiento completo, incluyendo rayos X, y le había recomendado que se operara inmediatamente, pues de no hacerlo no le quedaba mucho tiempo de vida.

Después de éste, hubo muchos más casos de úlceras, y en todos ellos se obtuvieron los mismos resultados en sólo diez días. Y también fueron corregidos otros trastornos en el mismo espacio de tiempo, a una persona tras otra.

La dieta de zumo de limón y sirope de arce, ¿es también una dieta de adelgazamiento?

Como dieta de adelgazamiento es superior, en todos los aspectos, a cualquier otro sistema, pues disuelve y elimina todo tipo de tejidos adiposos. La mayoría de personas pierde aproximadamente un kilo de grasa al día, y sin ningún nocivo efecto secundario.

En todas las dolencias que cursan con mucosidad: resfriados, gripe, asma, fiebre del heno, trastornos de los senos y de los bronquios, aquélla se disuelve rápidamente y se elimina del organismo, permitiendo que quien sigue esta dieta se vea libre de las distintas alergias que provocan dificultades respiratorias y obstruyen los senos. Las alergias son el resultado de una acumulación de toxinas, y desaparecen cuando purificamos el organismo. Las personas con sobrepeso suelen experimentar esos problemas, y cuanto más tiempo continúen consumiendo los alimentos tóxicos que generan grasas que son la causa de su obesidad, más se multiplicarán sus otras dolencias.

Los trastornos que conllevan mucosidad son originados por el consumo de alimentos o bebidas que generan moco. En otras palabras, si tiene esos trastornos ¡es que los comió! Si dejamos de dar a los nuestros esos alimentos que producen mucosidad, podremos librarlos de las enfermedades que conllevan moco y alergias para el resto de sus vidas.

En las enfermedades que resultan de los depósitos de calcio acumulados en los músculos, las articulaciones, las células y las glándulas, aquéllos son rápidamente disueltos y eliminados del organismo. Y los depósitos de colesterol en las arterias y las venas responden igualmente al mágico poder purificador de la dieta de zumo de limón y sirope de arce.

Todos los trastornos cutáneos desaparecen de igual modo cuando se purifica el resto del organismo. Los diviesos, abscesos, carbuncos y granos entran dentro esta categoría. Todas estas afecciones no son más que, nuevamente, el esfuerzo que realiza la naturaleza para eliminar rápidamente las toxinas del organismo.

Todas las infecciones son el resultado del proceso de disolución, y posterior combustión u oxidación, de esas vastas acumulaciones de tóxicos, a fin de purificar el organismo. Por lo tanto, una rápida eliminación de las toxinas suprime la necesidad de sufrir fiebres infecciosas. Las infecciones no «se atrapan», sino que son creadas por la naturaleza para ayudarnos a quemar el exceso de residuos.

Así pues, la dieta de zumo de limón y sirope de arce es en efecto una dieta de adelgazamiento, *pero también mucho más*. Del mismo modo que cuando se empleaba para curar úlceras se eliminaban al mismo tiempo otros trastornos, cuando se emplea como dieta de adelgazamiento se corrigen igualmente, de paso, otras dolencias.

Con los alimentos apropiados las personas construyen cuerpos fuertes y sanos, pero con alimentos incorrectos sólo construyen cuerpos enfermos. Y cuando la enfermedad resulta realmente necesaria, entonces es cuando la dieta de zumo de limón y sirope de arce demuestra su superior poder de purificación y de construcción.

NOTA

Ofrecemos la siguiente dieta sólo como sugerencia.
La persona que la siga lo hará voluntariamente.
Puesto que toda persona reacciona, naturalmente,
de forma distinta, cada cual debe seguir su propio criterio
a la hora de emplearla.

II

El purificante magistral o la dieta de zumo de limón y sirope de arce

❧❧❧

Objetivos

- Disolver y eliminar las toxinas y congestiones que se hayan formado en cualquier parte del organismo.
- Purificar los riñones y el sistema digestivo.
- Purificar las glándulas y las células de todo nuestro organismo.
- Eliminar todos los residuos inútiles y el material solidificado de las articulaciones y los músculos.
- Aliviar la tensión y la irritación de los nervios, las arterias y los vasos sanguíneos.
- Desarrollar un torrente circulatorio sano.
- Conservar la juventud y la elasticidad independientemente de la edad.

Cuándo usarla

- Cuando se haya desarrollado alguna enfermedad o en caso de padecer cualquier afección aguda y crónica.
- Cuando el sistema digestivo necesite un descanso y una depuración.
- Cuando exista un problema de sobrepeso.
- Cuando se necesite una mejor asimilación y construcción de tejidos corporales.

Con qué frecuencia

Seguir esta dieta durante un mínimo de diez días. En casos muy graves puede seguirse sin riesgos hasta 40 días o más. Esta dieta contiene todo el alimento que se requiere durante ese tiempo. Si se sigue esta dieta tres o cuatro veces al año, consigue maravillas en el mantenimiento del organismo en un estado normal y saludable. Y cuando haya afecciones graves, puede recurrirse a ella con mayor frecuencia.

Cómo prepararla

2 cucharadas de zumo de lima o de limón
(aproximadamente medio limón).
2 cucharadas de auténtico sirope de arce (no
sirope con sabor a arce).
$1/10$ de cucharadita de cayena, o al gusto.
Agua templada (de manantial o depurada).

Mezclar el zumo, el sirope de arce y la cayena en un vaso y terminar de llenar éste con agua templada (si se prefiere, puede usarse agua fría).

Usar sólo limas o limones naturales, nunca zumo de lima o de limón envasado, ni tampoco zumo o limonada congelados. Usar limones biológicos, si es posible.

El sirope de arce es una forma equilibrada de azúcar positivo y negativo, y es ése el que debe usarse, no un «sucedáneo». Existen tres clases de sirope de arce, según la calidad. La clase A es el primer tipo: de sabor suave, dulce y con menor contenido en minerales que los demás tipos. Es más caro y menos aconsejable, pero puede usarse. La clase B es el segundo tipo, con minerales y más sabor a arce. Es más indicado para esta dieta y más barato. La clase C es el tercer tipo. Contiene aún más minerales, posee un sabor todavía más fuerte a arce y resulta un poco menos agradable para la mayoría de gente, aunque es aceptable para esta dieta. Su precio es inferior. Como la clase C es más barata, puede usarse como excelente edulcorante en la preparación de diversos platos. El fuerte sabor del arce combina muy bien.

El sirope de arce contiene una gran variedad de minerales y vitaminas. Naturalmente, su contenido en minerales y vitaminas variará según la región en que crezca el árbol y el contenido mineral del suelo. Estos son los minerales que encontramos en una muestra cualquiera de jarabe procedente de Vermont: sodio, potasio, calcio, magnesio, manganeso, hierro, cobre, fósforo, azufre, cloro y silicio. También hay presencia de las vitaminas A, B1 B2, B6, C, nicotinamida y ácido pantoténico. En la parte dedicada a la Bioquímica que figura al final del libro *Curación para una Nueva Era* se puede encontrar información acerca de los requerimientos y los efectos de esos elementos.

Algunos operarios mal informados que elaboran el sirope de arce emplean gránulos de formaldehído, pero son muchos los que no lo hacen. Exija la variedad que no usa formaldehído. La «Maple River Company» de Youngstown, Nueva York, no lo usa, y éste es el tipo que yo recomiendo.

Cada semana se reciben docenas de cartas de todo el mundo elogiando los numerosos y destacados beneficios que se obtienen con la dieta de zumo de limón y sirope de arce. Y puesto que hace tanto para tanta gente, debemos concluir que se trata efectivamente del Purificante Magistral. A continuación reproduzco una de esas cartas:

Probé la dieta de zumo de limón y sirope de arce y obtuve unos resultados excepcionalmente beneficiosos. Quisiera hacer un pedido de seis libros, sea cual sea su precio al por mayor. Sé que voy a necesitar muchos más, pues hago una gran campaña a su favor. Creo que son los mejores en su género.

Una fórmula ideal incluye jugo de caña recién extraído (fácil de obtener en la India, pero no así actualmente, por lo general, en los Estados Unidos):

> *Un vaso de jugo de caña de azúcar recién extraído*
> *(templado o frío).*
> *2 cucharadas de zumo natural de lima o limón.*
> *$1/_{10}$ de cucharadita de cayena, o al gusto.*

Otro posible pero inferior sustituto podría ser el sorgo puro (los diabéticos no deben usarlo). No ofrece los mismos o similares beneficios que el sirope de arce.

¿Qué decir en cuanto al consumo de miel?

La miel no debe emplearse nunca para consumo alimentario. La miel se elabora a partir del néctar que liban abejas de las flores (néctar que en sí mismo es lo bastante bueno, tal vez) y que luego predigieren, vomitan y conservan para su propio consumo más adelante, con un agente conservador añadido. Es pobre en calcio y tiene muchos efectos perjudiciales para el ser humano.

Según una autoridad en la materia, la miel «es una palabra mágica y mística en Naturilandia. Se trata de uno de los productos más sobrevalorados y de precio más excesivo de los que se venden a los crédulos adictos de la alimentación natural. El gran valor que se atribuye miel es ilusorio... La miel es sólo un poco más inútil y más peligrosa que el azúcar».

Al igual que el alcohol, la miel, al estar predigerida, penetra en la sangre directamente, elevando el contenido en azúcar de ésta de forma muy rápida por encima del normal. Para corregir este efecto, el páncreas debe producir insulina inmediatamente, o de lo contrario podría producirse la muerte. Es muy probable que se produzca más insulina de la necesaria, y entonces el nivel de azúcar en la sangre desciende por debajo del normal. Esto puede producir lipotimias o incluso la muerte si el nivel desciende demasiado. Cuando el contenido de azúcar en la sangre se sitúa por debajo del normal, la persona se siente abatida. El consumo habitual de miel puede originar continuos desequilibrios que, a su vez, afectarán negativamente al funcionamiento normal del hígado, el páncreas y el bazo. La hipoglucemia y la hiperglucemia son el resultado del consumo de azúcares no equilibrados. El azúcar equilibrado que contienen el sirope de arce y el jugo de caña de azúcar no produce peligrosos efectos secundarios de ninguna clase. Todas las frutas y verduras naturales contienen azúcares equilibrados. Los azúcares artificiales, sintéticos y refinados no tienen sitio en una dieta natural.

Instrucciones particulares
para los diabéticos

La DIABETES es el resultado de una dieta carencial consistente, en parte, en azúcar y harina refinados. El zumo de limón con melaza es un sistema perfecto para corregir esta carencia. PARA OBTENER LOS MEJORES RESULTADOS, SEGUIR LAS INSTRUCCIONES ATENTAMENTE. La melaza proporciona al páncreas los elementos necesarios para que éste produzca insulina. Y como ya se le proporcionan al páncreas los elementos necesarios, la cantidad de insulina que se administra puede ir reduciéndose gradualmente. Veamos un ejemplo:

El PRIMER DÍA, emplear una cucharada rasa de melaza por cada vaso de zumo de limón y reducir la insulina alrededor de unas diez unidades. Diariamente, ir reduciendo la insulina a medida que se incrementa la dosis de melaza hasta llegar a las dos cucharadas colmadas por vaso. Cuando se ha alcanzado esta proporción, se puede prescindir normalmente de la administración de insulina. Luego, sustituir la melaza por dos cucharadas de sirope de arce por cada vaso. Practicarse controles regulares del nivel de azúcar en la orina y la sangre, para convencerse y eliminar cualquier temor.

Pueden usarse con provecho Vitaflex y la Terapia del color para estimular el hígado, el páncreas y el bazo, y garantizar así el uso adecuado de los minerales suministrados. Muchas personas han descubierto que ya no necesitan insulina. Deben seguir escrupulosamente la dieta recomendada tal como se describe a continuación:

Mezclar una parte de la piel y la pulpa del limón con el zumo y el sirope de arce en una licuadora, a fin de lograr un efecto más depurativo y laxante. (Nota: los limones que se comercializan pueden haber sido teñidos con un colorante amarillo y haber sido sometidos a la acción de diferentes insecticidas venenosos. Quita la piel exterior si no puedes obtener limones sin teñir procedentes de cultivos orgánicos.) Las propiedades de la piel de limón sirven también como hemostático, para impedir un flujo excesivo de sangre y para evitar la formación de coágulos internos si este problema fuese habitual. (Pero no te preocupes: las condiciones normales se mantendrán durante los períodos menstruales.)

La adición de la cayena es necesaria, pues disuelve la mucosidad. También proporciona muchas vitaminas del complejo B y C.

Durante esta dieta puede usarse de vez en cuando una infusión de menta, como variación agradable y para contribuir a una mejor purificación. Su clorofila actúa como agente depurativo y, además, neutraliza el mal aliento y los olores corporales que se emiten durante el período de purificación.

¿Cuánto zumo de limón hay que tomar?

Tomar entre seis y doce vasos de este zumo al día, sólo durante las horas en que uno está despierto. Si sientes hambre, tomar simplemente otro vaso de zumo. NO HAY QUE TOMAR NINGÚN OTRO ALIMENTO DURANTE TODO EL TIEMPO QUE DURE LA DIETA. Como ésta posee un completo equilibrio de minerales y vitaminas, no se experimentan las punzadas del hambre. No tomes vitaminas.

Todo alimento sólido pasa al estado líquido antes de que la sangre pueda transportarlo a las células del organismo. Y el zumo de limón con sirope de arce es un alimento en forma líquida.

Las personas con problemas de sobrepeso pueden tomar menos sirope de arce, y las personas con falta de peso pueden

tomar más. Si estas últimas están preocupadas por si van a perder aún más peso, RECUERDEN que lo único que pueden perder
será mucosidad, residuos y enfermedad. El tejido sano no será
eliminado. E incluso muchas personas que necesitan ganar peso,
lo consiguen hacia el final del período de dieta.

No varíes nunca la cantidad de zumo de limón y sirope de
arce por vaso. Unos seis vasos del preparado al día son suficien-
tes para quienes deseen perder peso. Puede tomarse tanta agua
como uno quiera.

Ayuda al proceso de purificación

Como ésta es una dieta de purificación, cuanto más puedas ayudar a la naturaleza a eliminar tóxicos, tanto mejor. *Si te notas indis-
puesto es porque no estás eliminando lo suficiente.* Evita esta posibilidad siguiendo escrupulosamente las instrucciones. Sobre todo,
procura realizar dos, tres o más evacuaciones al día. Esto puede
parecer innecesario si no se ingieren alimentos sólidos, pero es el
método de que dispone la naturaleza para eliminar los residuos
liberados de las distintas células y órganos, que tienen que ser eliminados del cuerpo de algún modo. De lo contrario, sería como
barrer siempre el mismo suelo sin sacar el polvo de la casa. Cuanto
mejor sea la eliminación, más rápidos serán los resultados.

Una INFUSIÓN LAXANTE resulta para muchas personas el
mejor coadyuvante. Es un buen sistema añadir a esta dieta desde
el principio una buena infusión de hierbas laxantes: toma una al
levantarte y otra al acostarte. Existen diversas clases de buenas
infusiones laxantes. Cómpralas en tu tienda de dietética.

Otra ayuda a la depuración:
lavados con agua salada

Del mismo modo que es necesario tomar un baño para limpiar
nuestro cuerpo por fuera, ocurre lo mismo con el interior de éste.

No emplees nunca lavativas mientras sigues la dieta de purificación, ni tampoco después. Son innecesarias y pueden ser extremadamente perjudiciales.

Existe un método mucho mejor de lavar el colon, sin tener que sufrir los perjuicios que conllevan las lavativas habituales. Este método limpia todo el tracto digestivo, mientras que las lavativas sólo alcanzan el colon o una pequeña parte de éste. Y las lavativas pueden resultar caras, mientras que nuestro sistema con agua salada no lo es.

Instrucciones: Prepara un litro de agua templada y añade dos cucharaditas rasas de sal marina no yodada. No emplees la sal corriente yodada, pues no irá bien. Tómate todo el litro de agua con sal al levantarte por la mañana. Debe tomarse con el estómago vacío. El agua y la sal no se separarán, sino que se mantendrán intactas y limpiarán todo el tracto digestivo de forma rápida y completa en aproximadamente una hora. Probablemente se producirán varias evacuaciones. El agua salada posee el mismo peso específico que la sangre, de modo que los riñones no pueden absorber el agua y la sangre no puede absorber la sal. Esta preparación puede tomarse tantas veces como sean necesarias para un completo lavado de todo el sistema digestivo.

Si el agua salada no actúa conforme a lo deseado la primera vez, prueba a poner un poco más o un poco menos de sal hasta que encuentres la proporción adecuada; o, si acaso, toma más agua, con sal o sin ella. Esto suele incrementar la actividad. Y ten presente que no puede hacerte daño. El colon necesita un buen lavado, pero procede a realizarlo del modo natural: con agua salada.

Es muy aconsejable tomar la infusión laxante por la noche para liberar toxinas, y luego el agua salada por la mañana para evacuarlas. Si por algún motivo no se pudiera tomar el agua salada por la mañana, entonces debe tomarse la infusión laxante por la mañana y por la noche.

¿Debo tomar «complementos»?

Algunas personas quieren tomar vitaminas o complementos alimenticios mientras siguen esta dieta. Esto no suele dar los resultados que se pretenden conseguir. Por muchas razones. Cuando las glándulas linfáticas se obstruyen, ya no son capaces de asimilar y digerir ni siquiera los mejores alimentos. Cuando purificamos nuestro organismo y liberamos las células y glándulas de las toxinas que obstruyen y paralizan la asimilación de los alimentos, permitimos que nuestros distintos órganos y procesos puedan realizar adecuadamente sus funciones. Este zumo de limón contiene todos los minerales y vitaminas necesarios, y por tanto no precisamos, en la mayoría de los casos, de un aporte suplementario.

Las vitaminas y los complementos no crecen tal cual en los árboles, sino que nos llegan por mediación de la fruta, las verduras y las plantas. El hombre no podrá nunca igualar y menos aún mejorar los productos naturales cogiendo un conjunto de productos naturales o sintéticos y procesándolos y combinándolos para crear un nuevo producto, pues en este proceso, que responde a una idea puramente humana, se pierde gran parte de la vitalidad y la energía básicas que poseen. Y pueden producirse muchos efectos secundarios peligrosos debido a los desequilibrios causados en los alimentos. Hay que seguir las leyes naturales del equilibrio. En primer lugar, uno tiene que decidir si Dios es quien tiene razón, o es el hombre quien la tiene. Si Dios tiene razón, entonces el hombre, con sus ideas de procesado –disociar y reagrupar de otra manera–, es muy posible que no la tenga.

Posteriormente, cuando consumimos una variedad más completa de alimentos, obtenemos nuestra fuente de vitaminas y minerales completa y en formas que son fácilmente asimilables, y ya no es necesario volver al consumo de complementos aunque uno esté habituado a tomarlos. Las fuentes del alimento sano continuamente se amplían en la medida en que la gente va teniendo mayores conocimientos al respecto. Busca esas fuentes y confía en ellas por lo que respecta a tus necesidades nutritivas totales.

El limón es un agente laxante y depurativo, que también posee muchos elementos de construcción. Y la capacidad combinada de los elementos presentes en el limón y en el sirope de arce ofrecen los resultados buscados.

- Su 49 % en potasio refuerza y revitaliza el corazón, y estimula y fortalece los riñones así como las glándulas suprarrenales.
- Su oxígeno genera vitalidad.
- Su carbono actúa como estimulante motor.
- Su hidrógeno activa el sistema nervioso sensorial.
- Su calcio refuerza y fortalece los pulmones.
- Su fósforo suelda los huesos, y estimula y refuerza el cerebro para pensar con mayor claridad.
- Su sodio estimula la construcción de los tejidos.
- Su magnesio alcaliniza la sangre.
- Su hierro construye los glóbulos rojos para corregir rápidamente los tipos más corrientes de anemia.
- Su cloro purifica el plasma sanguíneo.
- Su silicio ayuda al tiroides para conseguir una respiración más profunda.
- El hierro, cobre, calcio, carbono e hidrógeno naturales presentes en el edulcorante proporcionan más material de construcción y de depuración. Se trata, ciertamente, de una combinación perfecta para purificar, eliminar, curar y construir. Por lo tanto, no es necesario tomar complementos durante esta dieta e incluso éstos pueden dificultar su acción purificadora.

¿Qué decir del consumo de vitaminas?

Las vitaminas y los minerales han constituido siempre una parte necesaria de la vida natural. Pero, no contento con el plan de Dios, el hombre ha tratado de mejorar la situación separándolos de los alimentos naturales y luego procesándolos y combinándolos a fin de adaptarlos a su propia idea de lo que deberían ser. Y no contento todavía con el producto final, ha tratado luego de producirlos sintéticamente. Era un buen negocio, y nos convertimos en un mundo de «inductores al consumo de píldoras», fueran éstas necesarias o no. Y en la mayoría de los casos no lo son. Nadie sabía en realidad si las píldoras eran necesarias, pero ¡cuántas personas las tomaban *por si* tenían alguna carencia!

Se originaron grandes diferencias de opinión sobre cómo habían de equilibrarse y formularse estas vitaminas y minerales, y muchos expertos están en desacuerdo sobre cómo deben elaborarse esos miles de millones de píldoras. Todos ellos tienen distintas fórmulas y sostienen que la suya es la mejor, aunque se pierda mucho en el procesado. No obstante, incluso sin haberse llegado a un consenso definitivo con relación a su valor y su consumo, las píldoras se elaboran y se procesan, de modo que tienen que venderse, sin ninguna consideración hacia los posibles efectos secundarios debidos a sobredosis o desequilibrios. Quienes las producen y las venden ganan millones de dólares, pero tienen muy poco en cuenta las verdaderas necesidades de los consumidores.

En realidad, todo ese proceso podría haberse evitado por completo. El Creador ya se había ocupado de que nosotros recibiéramos todas las vitaminas y minerales que necesitamos de una manera perfectamente equilibrada. Sólo los mejores alimentos naturales y en su envase original son lo bastante buenos para proporcionar energía y vitalidad completas a fin de construir y conservar un organismo sano. Cada vez que el hombre trata de mejorar las fórmulas y los planes de Dios, seguro que el resultado es un fracaso.

Las sencillas leyes de una nutrición completa incluyen todas las vitaminas y los minerales que necesitan tanto el hombre como los animales. El Creador ha dado a cada animal los alimentos que necesita para una completa nutrición. Y esto también es así en lo que se refiere al hombre. Cuando esos alimentos son preparados y consumidos en la forma adecuada, el hombre no puede hacer nada para mejorarlos.

Cuando consumimos los alimentos correctos sin excesos, el organismo produce TODAS las vitaminas que necesitamos. Y los alimentos cultivados adecuadamente, en suelos ricos en minerales, poseen todos los minerales. Así pues, no necesitamos para nada alimentos enriquecidos con vitaminas, creados sintéticamente por el hombre, ni tampoco complementos de minerales.

Todos los alimentos refinados y desvitalizados deben ser eliminados completamente de nuestra dieta. Pues, sólo cuando consumimos esos alimentos refinados y desvitalizados, necesitamos complementos. Y saber cuántos de éstos necesitamos y en qué combinación es algo que probablemente no se logrará nunca, aun cuando se realicen largos y complicados ensayos, de modo que esta forma de alimentación antinatural será siempre deficitaria. Este plan es, pues, un pobre sustituto del camino correcto.

¿Me sentiré débil o mal con esta dieta?

En el proceso de purificación, algunas personas experimentan una tremenda agitación y puede incluso que se sientan peor durante algunos días. Pero no es el zumo de limón y el sirope de arce lo que causa esos problemas, sino lo que esta dieta remueve en el organismo, que es la causa de los mareos y otros trastornos. Puede que en determinadas circunstancias se produzcan vómitos y se acentúe el dolor en las articulaciones, y también pueden producirse mareos durante algunos días. Si se experimenta debilidad, ésta es consecuencia de los tóxicos que circulan por la sangre, no de una falta de vitaminas. Esta dieta proporciona, en forma líquida, todo el alimento, las vitaminas y la energía que se requieren a lo largo de los diez días o incluso más. Descansa y tómatelo con calma, si no tienes más remedio; pero mucha gente puede continuar sus actividades habituales sin ningún problema. Sigue escrupulosamente con la dieta, no la dejes ni «hagas trampas» comiendo un poco, pues puedes arruinar sus beneficios.

Aunque el limón es una fruta ácida, se vuelve alcalina al ser digerida y asimilada. Se trata, en realidad, de nuestro mejor aliado para obtener un equilibrio alcalino. No existe ningún riesgo de «acidez excesiva».

Los alcohólicos, fumadores y otros adictos obtendrán incalculables beneficios de esta dieta. Los cambios químicos y la depuración que se produce proporcionan el modo de eliminar el deseo y de reparar las muchas carencias posibles. De este modo, el apetito por las formas antinaturales de estimulantes y tranquilizantes desaparece. Y el habitual «síndrome de abstinencia» que se experimenta al dejar las drogas, el alcohol o el tabaco no se presenta ni durante la dieta ni después.

Y es ciertamente una sensación maravillosa verse libre de la esclavitud respecto de esos elementos desvitalizadores y creadores de hábito propios de la vida moderna. El café, el té y las bebidas a base de cola, que crean hábito, pierden también su atractivo merced a las maravillas que obra esta dieta.

¿Cómo terminar de tomar esta dieta?

Terminar de tomar la dieta de zumo de limón y sirope de arce de forma adecuada es muy importante. Deben seguirse las instrucciones muy atentamente. Después de haber vivido durante muchos años en climas tropicales y semitropicales, veo que la gente ha ido adoptando cada vez más una dieta de frutas, verduras y frutos secos. A continuación se ofrece el programa dirigido a las personas que siguen normalmente esa dieta vege-tariana.

❧ *Primer y segundo día después de la dieta*
Tomar varios vasos de zumo de naranja natural durante todo el día, cuando apetezca.

El zumo de naranja prepara el sistema digestivo para digerir y asimilar adecuadamente los alimentos habituales. Beber poco a poco. Si ha habido algún problema digestivo antes o durante el cambio, puedes tomar más agua, además del zumo de naranja.

❧ *Tercer día*
Tomar zumo de naranja por la mañana, fruta fresca para comer y una ensalada verde o de frutas para cenar. Ahora ya estás en condiciones de comer normalmente.

Para aquellos que seguían el típico sistema antinatural de consumir carne, leche y alimentos refinados y desvitalizados, es mejor proceder al cambio tal como indicamos a continuación, adoptando gradualmente la dieta de frutas, verduras frescas y frutos secos.

❧ *Primer día*
Varios vasos de zumo de naranja natural durante todo el día, cuando apetezca. Beber poco a poco.

❧ *Segundo día*
Beber varios vasos de zumo de naranja durante el día, acompañado de más agua si es necesario. A media tarde, preparar una sopa de verduras (no enlatada) tal como se indica a continuación:

Receta de sopa de verduras

Emplea distintos tipos de verduras: tal vez una o dos clases de legumbres, patatas, apio, zanahorias, hojas verdes, cebolla, etc. Se pueden añadir, para potenciar el sabor, verduras deshidratadas o sopa de verduras en polvo. Se pueden añadir igualmente, para mejorar el plato, quingombó, chile, curry, pimienta de cayena, tomates, pimientos verdes y jugo de calabacín. También puede emplearse arroz integral, pero nada de carne o caldo de carne. Para potenciar el sabor pueden añadirse (con moderación) otras especias.

Poner un poco de sal, pues cierta cantidad de sal es necesaria. Y aprende a disfrutar del sabor natural de las verduras. Cuanto menos tiempo de cocción, mejor. Lee el artículo dedicado a la sal aparecido en el número del *National Geographic* de septiembre de 1977.

Toma esta sopa como cena, usando básicamente el caldo, pero también puedes comer algunas verduras. Además de la sopa, puedes comer, con moderación, galletas de centeno, pero en absoluto pan o tostadas.

❦ Tercer día

Beber zumo de naranja por la mañana. A mediodía tomar un poco más de sopa (puede emplearse la que sobró de la noche anterior, conservada en el frigorífico).

Como cena, puedes comer todo lo que te apetezca de verduras, ensaladas o fruta. Nada de carne, pescado o huevos; y tampoco nada de pan, pasteles, té, café o leche. La leche es un alimento que genera mucha mucosidad y que tiende a desarrollar toxinas por todo el organismo.

(La leche, al ser un alimento predigerido, es la causa reconocida de diversas complicaciones en el estómago o el colon, tales como espasmos o convulsiones. El calcio de la leche es difícil de asimilar y puede generar toxinas que adoptarán la forma de fiebre reumática, artritis, neuritis y bursitis. La falta de una consiguiente digestión y asimilación adecuadas del calcio es la causa de que éste pase a la sangre en una forma libre y se deposite en los tejidos, las células y las articulaciones, donde puede causar intensos dolores.)

᧰ Cuarto día

Puedes reanudar tu alimentación habitual. Pero si quieres conservar una buena salud, el desayuno debe consistir en nuestro zumo de limón con sirope de arce o en zumo de frutas; y, desde luego, hay que seguir una estricta dieta a base de verduras, cereales y fruta.

Si al reanudar la alimentación habitual se producen dolores o flatulencia, sugerimos que continúes con la dieta de limón unos cuantos días más, hasta que el organismo esté preparado para tomar otros alimentos.

᧰ Recapitulación de los pasos que hay que seguir en esta dieta.

Para que esta dieta te reporte los mayores beneficios, lee atentamente todas las instrucciones:

- **En primer lugar** prepárate mentalmente para seguir con escrupulosidad todas las instrucciones, y sigue hasta que sea preciso para hacer los cambios necesarios. Uno de los mejores signos de que se ha completado la dieta es cuando la lengua, antes sucia y pastosa, cobra un aspecto limpio y un color rosado. Durante la dieta, presenta un aspecto tremendamente sucio.

- *La noche anterior* al comienzo de la dieta toma la infusión laxante.

- *Por la mañana* toma el agua salada o la infusión laxante (véase más arriba para los detalles). Esto debe hacerse por la mañana y por la noche todos los días que dure la dieta, a excepción (caso poco frecuente) de que se produzca diarrea. Cuando ésta se interrumpa, continúa conforme a lo antes indicado.

- *Ahora* sigue la fórmula de zumo de limón (véase antes para los detalles, especialmente si eres diabético).

- *Finalizar la dieta.* Sigue las instrucciones muy atentamente, a fin de preparar a tu organismo para volver a comer normalmente (según nuestro sistema). No comas demasiado ni demasiado pronto. Si no sigues atentamente las instrucciones, pueden presentarse problemas graves (como náuseas, por ejemplo).

¿De dónde saco las proteínas?

A menudo se suscita la cuestión relativa a nuestras necesidades de aminoácidos y de proteínas animales. Estas necesidades se exageran muchísimo, pues tan sólo el 16 % de nuestro organismo son proteínas. La respuesta a esa pregunta es muy simple. Primero debemos comprender que la proteína pura es básicamente nitrógeno, con oxígeno, hidrógeno y algo de carbono. Todos sabemos que cubrimos un gran porcentaje de nuestras necesidades de oxígeno e hidrógeno a partir del aire, del que obtenemos también algo de carbono. Y hay cuatro veces más nitrógeno en el aire que respiramos que oxígeno, hidrógeno y carbono juntos. Y ya que somos capaces de utilizar y asimilar una gran cantidad de estos elementos para cubrir los requerimientos de nuestro organismo, también somos capaces de asimilar el nitrógeno y convertirlo en proteínas en nuestro organismo. Esto se consigue con la acción bacteriana natural, que es capaz de adecuar el nitrógeno a nuestras necesidades.

Con la combinación de los mejores alimentos y aire puro, podemos fabricar nuestros propios aminoácidos, tal como hacen los animales: nunca se nos ocurre dar aminoácidos a los animales. De ese modo, podemos eliminar la necesidad de comer la carne tóxica de animales muertos, sin tener por qué preocuparnos más de nuestra fuente de proteínas. Come sólo la mejor variedad de frutas, frutos secos, verduras, cereales y germinados y obtendrás una completa fuente de proteínas.

Los fumadores no pueden absorber tan fácilmente el nitrógeno del aire, pero aun así pueden obtener bastante a partir de los alimentos adecuados sin tener por qué recurrir a la carne de animales. No obstante, para tu completo bienestar dejar de fumar es una exigencia.

Muchas personas creen que comer carne les da fuerza. Si esto fuera así, ¿cómo se explica que los animales más fuertes del mundo sean herbívoros? ¿Te has parado a pensar alguna vez que los animales cuya carne consumes son herbívoros? ¿De dónde sacan su fuerza? Todos los animales carnívoros tienen la necesidad de dormir entre 16 y 18 horas cada día a causa del exceso de toxinas. Y los animales carnívoros tienen una vida muy corta. Dios nos ha proporcionado tal abundante provisión de alimentos sanos y naturales que no existe ninguna necesidad, en nuestra civilización, de matar a un animal para consumir su tóxica carne.

La alimentación de tu bebé

Todos los bebés deberían ser criados por sus madres, si es posible. No existe un verdadero sustituto. La leche de vaca y la de cabra es para las crías de éstas y no es indicada para un niño.

Genera mucosidad y otros problemas, igual que en los adultos, incluyendo resfriados y enfermedades infecciosas.

La alimentación correcta, la estimulación de puntos reflejos y la Terapia del color le proporcionarán a la madre toda la leche que necesita para su hijo. Y cuando no pueda disponer de leche materna, el mejor sustituto es la leche de coco (véase la receta más adelante). Si lo alimentas con ésta, dale además a tu bebé el equivalente de un vaso de zumo de limón con sirope de arce entre las distintas tomas. A la fórmula normal del preparado añade aproximadamente el doble de agua hasta que el niño tenga unos seis meses, y entonces adáptala poco a poco a la dosis normal. Un bebé debe empezar a ser destetado a los nueve meses y debe seguir una dieta normal a partir de esa edad.

Los alimentos infantiles comercializados y las fórmulas infantiles no resultan adecuadas para las necesidades equilibradas de un bebé sano. Algunos artículos y programas de televisión recientes indican que esos alimentos son siempre indeseables. Prepara comida natural con frutas, verduras y cereales. Un bebé no necesita para nada productos elaborados a base de carne o pescado. Y cuando quieras endulzar, emplea sirope natural de arce, en vez de azúcar o miel. Tu hijo merece sólo los mejores alimentos naturales. Cuidar un bebé sano resulta una gran satisfacción, y existen muchos menos problemas si se sigue este patrón. Y esto desarrolla, al mismo tiempo, hábitos alimentarios saludables para toda la vida.

¿Es bueno el ayuno tomando sólo agua?

A menudo se suscita el tema del ayuno tomando sólo agua. Yo me opongo muchísimo al ayuno durante días o semanas sólo con agua. Es demasiado peligroso y resulta innecesario para obtener el resultado de purificación interna que se persigue.

Muchas personas tienen carencias, además, de toxinas. Y cuanto más tiempo estén sin alimento, mayores serán esas carencias.

La dieta de zumo de limón no sólo iguala, sino que supera todos los beneficios que puedan obtenerse con el ayuno, y al mismo tiempo compensa toda posible carencia.

Comúnmente, cuando se ayuna, resulta necesario guardar cama o reposo. Por el contrario, con la dieta de zumo de limón y sirope de arce no hay por qué convertirse en un miembro inútil de la sociedad: puedes llevar una vida activa y normal. Muchos obreros que realizan un trabajo pesado han descubierto que con la dieta de zumo de limón pueden trabajar más intensamente que con su dieta normal.

Cuando alguien ha llegado a poseer un organismo puro y sano y entonces decide ayunar puramente por motivos espirituales, treinta o incluso cuarenta días de ayuno no pueden perjudicarle. Pero primero deberíamos poner nuestro cuerpo físico en las mejores condiciones.

Tus amigos y conocidos podrán encontrar en esta dieta de zumo de limón la respuesta a sus dolencias y trastornos. E incluso si parece que no tienen ningún problema, esos que «nunca están enfermos» se sentirán mucho mejor. Haz partícipes a tus amigos, pues, de estos beneficios.

Una nueva vida para Sheila

Alrededor del año 1958 di una clase en Hemet, California. Asistieron a la misma los señores C, quienes durante los años que siguieron lograron cosas maravillosas en el campo de la curación. Y uno de sus casos más relevantes ostentaría el rango de auténtico milagro en el marco de cualquier sistema curativo.

Corría el año 1963 cuando el señor C asumió la responsabilidad de criar y cuidar a su sobrina-nieta, que tenía entonces tres semanas y media de edad.

Su médico la había desahuciado, pues no veía forma humana de salvarla. Preveía que su muerte iba a producirse al cabo de pocos días, pues la medicina no contaba con ningún recurso para salvarle la vida. Y dijo a sus padres: «Llévensela a casa y disfruten de ella unos días, pues no vivirá ya mucho tiempo».

Aquel matrimonio asumió la responsabilidad y procedió a alimentarla y cuidarla con métodos naturales. La alimentación consistió en zumo de limón y sirope de arce natural, zumo de naranja y jugo de zanahoria durante unos tres años. Poco a poco le fueron dando otros alimentos naturales crudos, pero nada de leche ni alimentos preparados. Y el tratamiento consistió en la Terapia del color y Vitaflex, como parte del proceso curativo y constructivo.

Yo tuve el especial privilegio de ver a esa mucha cuando contaba 14 años de edad. Su belleza y su porte eran extraordinarios. Y en la actualidad es una consumada organista, pianista, cantante de ópera y pintora.

Fue criada sin ninguna clase de productos animales, y nunca recibió ningún tipo de medicación o inyecciones ni sufrió operaciones. Y durante esos 14 años tampoco había sufrido ninguna de las enfermedades que tienen los niños que han sido criados con los métodos convencionales.

Cuando nos presentaron, Sheila se me acercó y declaró con emoción: «Señor Burroughs, no tiene ni idea de cuánto le apreciamos, pues sin usted y su sistema yo no estaría viva».

En ese momento me dije que era algo maravilloso que, gracias a mi fuerte y constante empeño, yo hubiese llegado a crear un sistema que le había salvado la vida a esa muchacha y que podía salvar la vida de otros muchos casos desesperados como el suyo si el mundo entero llegaba a conocerlo.

De pronto, todas las incontables frustraciones que había sufrido durante años tratando de producir esta obra parecieron difuminarse, y aquella declaración hizo que todo hubiese valido la pena. La emoción que proporciona el conocimiento y el usar este conocimiento para ofrecer una vida más plena a un mundo doliente no tiene límites.

Este caso, como otros muchos análogos, demuestra que cuando operamos con las leyes naturales con conocimiento de causa, las enfermedades, tal como las conocemos, desaparecen. Esta obra debe seguir su camino y llegar a manos de todo el mundo, sean quienes sean y vivan donde vivan.

Un tratamiento nuevo para una dolencia antigua: la hidropesía (edema)

La hidropesía es una de las formas más complicadas y peor comprendidas de las distintas expresiones de la toxemia. Consiste en la acumulación de fluidos en los tejidos corporales. Las diversas tentativas de corregir esta afección han logrado escaso éxito. Los principales tratamientos sólo consiguen dar un alivio momentáneo, y el resultado final no es otro (puesto que estos tratamientos no producen verdaderamente ningún cambio) que la muerte por ahogo interno.

Para lograr un rápido alivio y un efecto corrector duradero, uno tiene que comprender totalmente las causas. Entonces, nuestro simple pero inusual método de tratar una antigua dolencia producirá resultados rápidos y duraderos.

Como ocurre con otras enfermedades, la hidropesía es el resultado de una gran acumulación de residuos tóxicos. Estas toxinas se acumulan porque nuestros órganos de eliminación no son capaces de eliminarlas a la misma velocidad con que penetran o se generan en el organismo. Al ir aumentando poco a poco, esas acumulaciones aparecen primero en forma líquida. Luego, si no son eliminadas por el organismo, van automática y gradualmente deshidratándose o cristalizando. A continuación se van depositando en los espacios libres que existen en nuestras células, glándulas y órganos. Y este proceso continúa hasta que se llega a un punto de saturación. Entonces, la propia naturaleza invierte el proceso y va disolviendo poco a poco el material cristalizado y deshidratado. Este cambio es el último esfuerzo que realiza el organismo para evitar su muerte como resultado de la completa obstrucción de todas las glándulas y órganos. Sólo podemos eliminar las toxinas si éstas se encuentran en forma líquida o semilíquida. Habitualmente, cuando se llega a este punto, nuestros órganos de eliminación están sobrecargados y obstruidos, y el corazón, el hígado y los riñones, que son los que más padecen, no pueden eliminar ya las toxinas líquidas. El cuerpo empieza entonces a aumentar de volumen hasta que llega a un punto en que ya no puede sostener la vida.

La corrección de esta, de otro modo, mortal afección es simple, rápida y efectiva. Sigue simplemente las instrucciones y los resultados serán totalmente satisfactorios.

Pasemos al tratamiento. Poner al paciente a dieta de zumo de limón con sirope de arce. Esto pone en marcha el proceso de depuración interna.

A continuación, consigue unos 50 kilos de sal gema sin refinar (puede comprarse en una tienda de alimentación). Recubre el fondo de la bañera con una capa de sal de unos cinco centímetros. Desnuda al paciente y cúbrelo con una sábana húmeda. Luego acuéstalo sobre la capa de sal y añade sal hasta que su cuerpo esté completamente cubierto con ésta. El cuarto de baño deberá estar a unos 26° o algo más de temperatura, para que el paciente no sienta frío. (Puede calentarse la bañera con agua caliente antes de echar la sal. Pero quita toda el agua antes de echar la sal.)

Deja al paciente en la bañera con la sal aproximadamente una hora. Antes debe haberle dado varios vasos de zumo de limón caliente con cayena.

A continuación retira al paciente de la bañera y arrópalo con una manta de lana para que conserve el calor. Si es necesario, puedes emplear otra fuente adicional de calor. Repite este tratamiento un día sí y otro no, o diariamente si el paciente no está demasiado débil a causa de los rápidos cambios.

Esto puede repetirse hasta que la hinchazón se haya reducido o se hayan eliminado las toxinas. La primera aplicación puede que no produzca resultados apreciables, pero a partir de ahí deben observarse rápidos cambios.

Haz mantener la dieta de zumo de limón y sirope de arce al paciente hidrópico hasta que se haya producido un cambio notable, tanto si son diez días, como si son veinte o treinta. Pueden usarse además la Terapia del color y Vitaflex, que incrementarán de un modo formidable la acción y la eliminación.

Nota importante: Puede usarse repetidamente la misma sal para el mismo paciente, pero no para otros. Cada persona debe emplear su propia sal.

Es especialmente necesario tomar un baño o dos al día, sobre todo cuando se sigue esta dieta. Eliminamos los residuos a través del aliento, la piel, los riñones, el colon y la nariz a partir de los senos. La mayor proporción de residuos se expele por el aliento, y luego le siguen la piel, el colon, los riñones y, dependiendo de cada persona, los senos. A menudo eliminamos grandes cantidades de residuos en forma de moco cuando desarrollamos un resfriado o una gripe. Podemos apreciar lo importante que resulta la eliminación por la piel. Incluso con un buen estado de salud, es importante tomar un baño una o dos veces al día para desprender esos residuos de la superficie de la piel, permitiendo que ésta respire debidamente. Esos baños sirven también para eliminar los desagradables olores corporales que se exhalan cuando purificamos nuestro organismo. Y también resultan de ayuda los baños de vapor frecuentes.

El sencillo arte de la nutrición

Existen simples y bien definidas leyes o normas a seguir para sacar el máximo partido de la preparación y el consumo de los alimentos. Esas leyes son naturales, fáciles de comprender y de demostrar.

Sólo siguiendo estas leyes y viviendo en su simplicidad obtenemos una sangre limpia y una mente serena. Si vivimos siguiendo estas sencillas leyes, podemos descartar cualquier pensamiento de enfermedad, y nunca tendremos que buscar ayuda o alivio en fuentes externas.

Este excelente grado de salud ha sido alcanzado en miles de casos aquejados de las más variadas dolencias. Todas las enfermedades y afecciones responden y desaparecen cuando descubrimos el camino de la salud.

Purificar, edificar y conservar es el plan supremo de esta sencilla forma de nutrición. Y antes de proceder a construir y conservar, debe haberse realizado una purificación completa de las distintas toxinas, tóxicos y congestiones.

Te ofrezco lo mejor en el campo de la purificación y la curación en forma de la dieta de zumo de limón.

En un artículo aparecido en el *National Enquirer* del 22 de julio de 1975, leíamos la siguiente predicción de Jeanne Dixon:

> *Uno de los mayores descubrimientos médicos de la década se obtendrá de los cítricos. Los científicos elaborarán nuevos y fantásticos remedios maravillosos a partir de estos frutos para una amplia gama de enfermedades que han atormentado a la humanidad durante siglos. Se descubrirá que cierto elemento químico presente en esos frutos puede reforzar nuestra resistencia natural a ciertas enfermedades.*

En realidad, el elemento o elementos químicos presentes en los cítricos no hacen al organismo resistente a la enfermedad, sino que eliminan la causa de ésta por su acción depurativa. Esos fantásticos elementos químicos los descubrí hace ya muchos años, y están siendo usados con tremendo éxito en todo el mundo bajo la forma de la dieta de zumo de limón.

No hay ninguna necesidad de producir estos elementos químicos, pues Dios ha hecho ya un trabajo mucho mejor que el que ningún grupo humano puede soñar jamás hacer, sean cuales sean sus conocimientos y sus capacidades. Estos elementos ya existen en los cítricos y operan al más alto grado de eficacia por la presencia igualmente en ellos de otros elementos necesarios. Y si estos distintos elementos químicos se aíslan o se separan, pueden producirse desequilibrios, que redundarán en la aparición de nocivos efectos secundarios, frustrando así la acción purificadora y edificadora del plan original. Sólo cuando consumimos los mejores alimentos y *en su forma original* podemos obtener el máximo beneficio de los mismos.

Durante años he repetido a mis alumnos que lo que necesitamos siempre es el producto completo, no las distintas partes separadas, como ocurre, por ejemplo con los jugos de zanahoria, de verduras, etc. Tiramos la pulpa –la fibra– y tomamos sólo el jugo. Pero la fibra tiene también muchos elementos necesarios para ayudar a asimilarlos adecuadamente. ¿No es posible, pues, que su falta pueda originar carencias o desequilibrios? Sabemos, gracias a los excelentes resultados obtenidos, que el jugo de zanahoria, el de apio y el de otras verduras son excelentes; pero, ¿no serán éstas mucho mejores si las dejamos tal cual y las consumimos como están? ¿Podemos conseguir una nutrición mejor y más completa bebiendo una docena de jugos de zanahoria sin la fibra, que masticando la zanahoria entera y consumiendo menos zanahorias?

Recientes descubrimientos nos informan de que la fibra «es muy importante». Antes nos decían que no comiéramos fibra, pues podía causar diversos trastornos intestinales. Una vez determinada su importancia, ¿hemos exagerado esta idea empleando cosas tales como fibra de madera (buena para las termitas, pero no tanto para nosotros) en el pan o, digamos, los cereales, o incluso alguna otra sustancia ajena a estos productos, o bien debemos consumir éstos tal como se presentan originariamente, sin quitarles nada desde el principio? Esto me recuerda la controversia que hubo sobre el pan blanco. Los ensayos confiaron que el pan blanco no podría sustentar la vida, aunque le agregaban leche y huevos, de modo que le añadieron diversas sustancias: harina enriquecida, lo llamaban. Luego descubrieron o creyeron que eran necesarios otros requerimientos, de modo que le incorporaron otros enriquecedores, y luego más hierro y más conservantes, y finalmente descubrieron que la fibra era muy importante.

Pero con la adición de todas estas cosas, ¿en qué medida era bueno un pan al que le habían quitado unos elementos originales y los habían reemplazado por otros? ¿Podía ser tan bueno como con los ingredientes originales? El pan blanco siempre me ha parecido una pasta empalagosa. Si duda existe un buen motivo para la presencia originaria de la fibra y otras cosas. Tal vez creyeron que Dios se había equivocado y que los hombres debían corregirle.

Todo eso se podría haber evitado dejando las cosas tal como estaban originariamente. Por lo tanto, si ahora aceptamos todo ese proceder como una lección muy necesaria, podemos dejar el resto de nuestros alimentos tal como están y rechazar complementos tales como el germen de trigo, la lecitina, las vitaminas, los minerales, la fibra (salvado o madera) y muchos otros, orientados a complementar y enriquecer una enorme variedad de productos desposeídos y desvitalizados.

Otra cosa que piensa mucha gente es que «si una pequeña cantidad es buena, entonces la lógica nos dice que mucho podría ser mucho mejor». Pero tomando mucho más, ¿no es posible que estemos exagerando de nuevo y consumiendo más de lo que nuestro organismo puede asimilar de una vez, de modo que tenemos que hacer horas extras para asimilar y eliminar los excesos o, de lo contrario, atascamos el mecanismo y frustramos así la razón original que teníamos para seguir con lo acostumbrado? Y está luego la fibra, de la que prescindimos. Y prescindiendo de ella creamos carencias y efectos secundarios.

Creo que deberíamos empezar de nuevo desde el principio: comer las cosas tal como están y en cantidades limitadas, para permitir que el cuerpo digiera y asimile justo la cantidad correcta, sin excesos.

El consumo de proteínas para rebajar peso se convirtió en una moda, y luego una proteína predigerida ha originado graves carencias y creado un monstruo, hasta el punto de que se han constatado muchos fallecimientos por falta de potasio y otras sustancias necesarias para la vida.

Esta sencilla idea puede ahorrarnos mucho tiempo, dinero e inútiles investigaciones para saber si existen posibles carencias. Y ciertamente, las ventajas del ahorro monetario pueden tener una gran importancia.

El objetivo primordial de toda dieta completa es que debe contener todas las vitaminas, los minerales y los nutrientes en una forma fácilmente aprovechable, permitir que el organismo funcione normalmente y se vea libre de enfermedades y otros trastornos.

Puesto que mucha gente de todo el mundo no puede llevar una vida normal por culpa de una multitud de enfermedades, primero deben purificar su organismo antes de seguir la dieta correcta.

Así pues, todos los enfermos y pacientes deben recurrir primero a la mejor de las dietas de depuración, el PURIFICANTE MAGISTRAL O DIETA DE SIROPE DE ARCE Y ZUMO DE LIMÓN.

Sugerencias culinarias

Nuestro organismo pasa por un proceso de purificación desde las doce de la noche hasta las doce del mediodía, y por un proceso de edificación desde esa hora hasta las doce de la noche. Por tanto, lo que se tome durante estos períodos debe estar en sintonía con los procesos naturales en acción. Las siguientes sugerencias tienen en cuenta estos procesos naturales.

✄ Desayuno

El cuerpo no necesita otra cosa más que zumo de limón natural, o zumo natural de naranja o de pomelo. Una que otra vez, si ni siquiera esto apetece, prueba a tomar una infusión de menta. Produce una agradable sensación y es un tonificante magnífico.

✄ Comida

Esta comida puede perfectamente suprimirse sin desagradables consecuencias. Muchas personas descubren que con una pequeña cantidad de fruta les basta. Si quieres algo más, puedes tomar un poco de ensalada verde o de frutas. Si tomas una ensalada verde, puedes también tomar un poco de sopa (naturalmente, de verduras y hecha en casa), o también zumo de tomate, caliente o frío. Y si tomas una ensalada de frutas, puedes tomar además leche de coco o de almendras.

Nota: En las páginas siguientes encontrarás recetas de leche de coco y de almendras, así como de numerosas salsas para ensaladas.

✄ Cena

Una cena sencilla incluye una sopa de verduras para empezar y luego dos o tres verduras cocidas ligeramente al vapor. Otras veces, puedes probar platos especiales, tales como potaje de verduras, distintos a base de arroz integral (arroz al curry, paella, *chop suey* con arroz, etc.), judías (blancas o pintas) o alguna receta que incluya lentejas o garbanzos; pero naturalmente nada de carne. Las hamburguesas vegetales y otros productos comerciales, que son preparados y se presentan como sustitutos de la carne, deben consumirse con mucha moderación, o mejor si no se toman nunca.

Todo tipo de frutas carnosas son un excelente complemento tanto para la comida como para la cena.

Cambia de menú cada día. Trata de que haya mucha diferencia de un día a otro. No comas demasiado: confórmate con pequeñas raciones. Es beneficioso hacer en ocasiones una comida basada en un plato único, como por ejemplo: arroz integral con leche de coco y un poco de sirope de arce; alcachofas al vapor; maíz tierno; sandía, fresas, melón. Y fácilmente se te pueden ocurrir otros muchos platos únicos.

La idea que se baraja actualmente de que son necesarias cinco clases de alimentos al día es totalmente absurda. Consume mucho tiempo, resulta caro y no consigue los resultados pretendidos como lo consigue la simplificación. Las distintas clases de alimentos requieren un período de tiempo y unas capacidades distintas, en cada caso, para una correcta digestión. Y cuando hay demasiadas combinaciones se producen a menudo diversos trastornos digestivos.

✎ *Leche de coco*

La leche de coco puede emplearse en todas las recetas que requieran leche. También es buena la leche de otros frutos de cáscara dura. En cualquier caso, son superiores y preferibles a cualquier leche animal. Emplea frutos frescos con preferencia a los envasados o rallados.

Para preparar leche de coco pon agua caliente en una licuadora hasta la mitad de su capacidad. Añade 2 cucharadas de sirope de arce y un pellizco de sal. (Estos dos ingredientes pueden omitirse, si se quiere.)

Con la licuadora en marcha (a velocidad media o alta) introduce trozos de coco hasta que esté casi llena. (Puede emplearse coco seco.)

Retira la pulpa, cuélala y vuélvela a introducir en la licuadora junto con más agua caliente. Vuélvela a colar y esta vez ya puedes desecharla.

La leche de coco obtenida de este modo constituye una nutritiva y agradable bebida tanto para niños como para adultos, en sustitución de la leche animal. Y mezclándola en la licuadora con tu fruta predilecta puedes obtener un gran número de deliciosas bebidas.

ᖰ *Mezcla de coco y sésamo*
(Puede emplearse para elaborar muchas salsas que requieran nata.)

6 cucharadas de coco rallado.
6 cucharadas de semillas frescas de ajonjolí.
Aceite de sésamo o de alazor.

Licua los dos ingredientes secos hasta que dejen de caer hacia el centro de la licuadora. Desenchufa la licuadora y empújalos hacia el centro con un cuchillo para que se desprendan de las paredes.

Con la licuadora en marcha, añade aceite de sésamo o de alazor hasta que cubra toda la pulpa (aproximadamente 6 cucharadas). Licua durante dos minutos y luego añade agua caliente (algo más de un vaso) hasta que la mezcla alcance el espesor deseado. Si se quiere, puede añadirse una cucharada de sirope de arce y una pizca de sal.

Para salsas: Emplea leche de coco o esta mezcla de coco y sésamo, añade harina de patata para que espese y sazónalo con las especias que desees. Puede emplearse también para cremas de champiñones, de apio, etc. y para platos gratinados (patatas, coliflor, etc.). Prueba otras combinaciones que la imaginación te dicte.

✤ Leche de almendras

Pon aproximadamente medio kilo de almendras peladas (secas) en la licuadora. Licua hasta que ya no caigan hacia el centro. Empújalas varias veces hacia el centro con un cuchillo, pues cuando la licuadora está en marcha se pegan a las paredes. Añade aceite de sésamo o de alazor hasta que cubra la pulpa (aproximadamente siete cucharadas). Licua durante dos minutos más y luego añade agua caliente hasta que la mezcla obtenga el espesor deseado. Si se desea, pueden añadirse una o dos cucharadas de sirope de arce y una pizca de sal.

Resulta una bebida excelente y puede emplearse en cualquier receta que requiera leche.

✤ Mayonesa

Empieza como si fueses a preparar la leche de coco y sésamo, pero no la dejes espesar tanto, usando menos agua de la normal, y luego añade lo siguiente:

5 cucharadas de vinagre de sidra.
1 cucharada de sirope de arce.
2 dientes de ajo.
1 cucharadita de pimentón.
1 cucharadita de chile en polvo.
1 cucharadita de mostaza en polvo.
1 cucharadita de cúrcuma.
$^1/_2$ cucharadita de albahaca.
Sal al gusto.

✤ Salsa n.° 1 para ensalada verde

Emplea la mayonesa anterior y añádele con moderación otras especias, tales como semillas de eneldo, curry en polvo, pimienta de cayena, semillas de hinojo u orégano.

Para conseguir un sabor como el de la salsa «Thousand Islands», puedes añadir un par de pepinillos en vinagre de eneldo y salsa dulce.

❧ Salsa n.° 2 para ensalada verde

3/4 de taza de aceite de oliva, de sésamo o de alazor.
^{1}/2 taza de vinagre (de sidra o de vino).
2 cucharadas de zumo de lima o de limón.
3 cucharadas de sirope de arce.
^{1}/2 cucharadita de pimentón.
2 cucharaditas de mostaza.
1 cucharadita de albahaca.
1 cucharadita de semillas de eneldo.
^{1}/2 cucharadita de cardamomo.
2 dientes de ajo.
2 cucharadas de harina de patata (opcional).

Mezcla primero el aceite y el vinagre con el sirope de arce, y luego añade los demás ingredientes. Agrega la harina de patata si quieres que la salsa salga más espesa y cremosa.

Se puede obtener una gran variedad de salsas como ésta empleando con mucha moderación otras hierbas y especias en vez de las que aquí sugerimos.

❧ Salsa francesa
Añade a la receta de mayonesa un tomate grande o una taza de zumo de tomate.

❧ Salsa para ensalada de frutas
Añade a la fórmula básica de leche de coco y sésamo los siguientes ingredientes:

½ taza de sirope de arce.

2 plátanos maduros.

1 taza de trozos de piña natural.

Para potenciar el sabor puedes añadirle nuez moscada y canela.

❧ **Salsa n.° 1 para ensalada de col**

Añade a la fórmula básica de la mayonesa los siguientes ingredientes:

1 cucharadita de semillas de eneldo.

4 cucharadas de vinagre.

½ cucharadita de semillas de hinojo.

❧ **Salsa n.° 2 para ensalada de col**

¼ de taza de aceite (prensado en frío).

¼ de cucharadita de especia de clavo en polvo.

¼ de cucharadita de jengibre.

¼ de taza de sirope de arce.

¼ de taza de vinagre de sidra.

Sal.

El zumo de un limón.

2 rodajas de piña.

2-3 cucharadas de harina de patata.

Licua estos ingredientes, excepto la harina de patata, durante cinco minutos. Añade poco a poco la harina de patata, con la licuadora en marcha, hasta lograr el espesor deseado.

❧ Salsa blanca

> *2 cuharadas de margarina o aceite vegetal.*
> *2 cucharadas de harina de patata*
> *o harina de arroz integral.*
> *Agua hirviendo.*

Derrite la margarina en una cazuela. Añade la harina de patata o de arroz y remueve. Sigue removiendo mientras añades el agua hirviendo (aproximadamente una taza) hasta lograr el espesor deseado. Añade sal al gusto.

❧ Variaciones de la salsa blanca

1. Añadir a la salsa blanca anterior una cucharadita de cardamomo y otra de cilantro. Si se quiere acentuar el sabor, puede incrementarse esta dosis hasta el doble.

2. En lugar de agua, añade un vaso de salsa de tomate enlatado y $\frac{1}{2}$ cucharadita de albahaca.

III

Necesidades y problemas particulares

Consejos especiales

Los siguientes consejos incluyen algunos de los mejores remedios sencillos y naturales que resultan de gran provecho para la
corrección de diversas molestias de poca consideración que
podemos padecer en algún momento de nuestras vidas.

ᔪ *Aceite de clavo*

El aceite de clavo resulta inestimable para muchas cosas.
Es especialmente útil para los cánceres de piel, las verrugas
y los callos. Aplicar una pequeña cantidad con el dedo
sobre las verrugas y los callos. Esperar un momento. Con
un palito de esmeril, raspar la superficie y volver a aplicar
el aceite. Repetir esto varias veces al día hasta que las
verrugas o los callos desaparezcan. Hacer lo mismo en el
caso de cáncer de piel.

Este tipo de manchas no son producidas por un virus,
sino que son una forma de crecimiento de hongos que
viven de los ácidos que se eliminan por la piel. (Podemos
decir, a propósito, que nuestra dieta evita desde el comienzo que se desarrollen estas afecciones.)

El aceite de clavo calma el dolor en los siguientes casos:

Una pequeña cantidad aplicada sobre las encías calma
el dolor de muelas y sirve también para hinchazones o lla-

gas en distintas partes de la boca. Sirve también para las aftas.

Útil para todas las picaduras de insectos (avispas y mosquitos, por ejemplo), y para rasguños, pequeñas quemaduras y llagas que tardan en curarse. Es un excelente desinfectante. Elimina el escozor producido por las ortigas y el zumaque venenoso.

Aplica con el dedo una pequeña cantidad en la parte posterior de la lengua si tienes dolor de garganta o tos irritativa.

Si los que quieren dejar de fumar aplican con el dedo una pequeña cantidad en la parte posterior de la lengua cuando experimentan el deseo de fumar, éste desaparece inmediatamente. Si deseas realmente dejar de fumar, ésta es la forma más sencilla.

ഏ *Ron de malagueta*

El ron de malagueta constituye una excelente loción para después del afeitado. Y es útil para muchas cosas. En infecciones, picores y comezón de oídos, mojar un bastoncillo en la solución e introducirlo en el oído: produce un alivio instantáneo. Puedes emplearlo tantas veces como quieras, pues no produce efectos secundarios.

Para la caspa o la sarna, frótese el cuero cabelludo con esta loción sin diluir.

Es muy curativo para todo tipo de picores en la piel y proporciona un rápido alivio de las irritaciones de la ingle.

Empléalo como astringente para la cara y el cuello: es muy refrescante. También proporciona alivio en las quemaduras del sol y en la piel agrietada.

ഏ *Alcanfor y pastillas de alcanfor*

Cuando tomes un baño, pon dos pastillas de alcanfor en el agua: es un excelente suavizante de la piel y alivia el picor.

El linimento a base de alcanfor resulta excelente para los músculos cansados y doloridos. Alivia el picor y el dolor producido por las picaduras de insectos.

El alcanfor resulta un excelente inhalante. Despeja la cabeza.

✎ Aceite de ricino
El aceite de ricino es excelente para los callos, las verrugas y otras manchas de la piel.

✎ Aceite de coco
El de coco es uno de los mejores aceites que existen para la piel. Suaviza, elimina las arrugas y le da firmeza. Contribuye a evitar las quemaduras del sol y el enrojecimiento producido por el viento. También es un excelente fijador para el pelo.

✎ Miel
La miel, cuyo consumo alimentario es más perjudicial que otra cosa (véase lo que hemos dicho anteriormente), es especialmente buena para uso externo en muchas afecciones. Cura diversos tipos de llagas. Es muy buena contra infecciones y para preparar cataplasmas.

✎ Loción de maclura
Se trata de un excelente producto comercial para músculos cansados y doloridos, y para la piel. Es muy refrescante. Resulta una loción ideal para después del afeitado. En un día caluroso, frótate la cara y el cuello con un poco de esta loción y te refrescará.

✎ Aceite de menta
El aceite de menta es excelente para los dolores de cabeza. Despeja los senos y su acción refrescante facilita la

respiración. Pon una pequeña cantidad en la palma de la mano (golpea ligeramente el fondo de la botella con la palma de la mano apretada contra la boca de ésta), frota las manos y luego inhala por la nariz y la boca durante un rato. Luego, pon las palmas de las manos sobre la frente y la nuca: es muy refrescante y especialmente útil en caso de fiebre. Con un poco de aceite de menta en la punta del dedo frota el interior de la boca: sentirás un agradable frescor.

᧞ *Aceite de gaulteria*

El aceite auténtico de gaulteria es superior al sintético, de modo que emplea el primero si es posible. El sintético va bien, pero no tanto.

Alivia el dolor de los callos y las verrugas. Es un producto excelente para los músculos y las articulaciones doloridas. Da calor y mejora la circulación.

᧞ *Loción de Hamamelis de Virgina*

La loción de Hamamelis de Virginia es un excelente astringente y suavizante de la piel. Es magnífica como loción para después del afeitado. Da alivio inmediato a la piel dolorida o irritada de todo el cuerpo.

᧞ *Vinagre*

El vinagre puro de sidra es un antibiótico natural, sencillo y seguro. Puede emplearse tanto para uso externo como para administración interna. Para uso externo es totalmente seguro tal cual; para tomarlo, es preciso diluirlo.

- *Pie de atleta:* Con cuatro o cinco días de aplicación frecuente en los pies desaparecerá este problema. Usar periódicamente, en lo sucesivo, para evitar recaídas. Actúa más rápido que cualquier otra medicación.

- *Manos agrietadas y doloridas:* Cualquier problema de hongos en las manos u otras partes del cuerpo se corrige aplicando vinagre sin diluir.

- *Caspa:* Aplicando vinagre sin diluir en el cuero cabelludo se elimina la caspa muy rápidamente.

- *Tiña (en cualquier parte del cuerpo):* El vinagre a menudo logra detenerla, pero a veces son necesarios métodos más enérgicos. En estos casos, el aceite puro de menta actúa eficazmente. Si lo puedes conseguir, un producto comercial llamado «Heet» es muy eficaz. Cuanto más a menudo se aplican estos productos, más deprisa se consigue atajar el problema.

- *Dolor de garganta:* Vinagre y agua a partes iguales: es un excelente gargarismo para el dolor de garganta y para eliminar la mucosidad. También es excelente para aftas y para infecciones o hinchazones en la boca.

- *Indigestión o flatulencia:* Dos cucharaditas de vinagre en un vaso de agua. Puede tomarse durante las comidas o después de éstas, según convenga. En caso de disentería o diarrea toma esa misma dosis cada hora, hasta que el problema desaparezca. No obstante, la diarrea puede ser muy útil para eliminar el exceso de toxinas del cuerpo. No te apresures demasiado a interrumpir el proceso natural del organismo durante la purificación.

- *Usos domésticos:* Con una aplicación de vinagre se logrará aflojar un cerrojo aherrumbrado o corroído.

  Para desatascar el fregadero, echa $\frac{1}{2}$ taza de bicarbonato por el desagüe. Añade $\frac{1}{2}$ vaso de vinagre y tápalo durante un minuto.

Con dos cucharadas de vinagre y dos de sirope de arce por cada litro de agua podrás conservar por más tiempo las flores cortadas.

Media taza de amoníaco y tres cucharadas de vinagre añadidas a un litro de agua caliente resultan excelentes para limpiar los cristales de las ventanas sin dejarlos empañados o con vetas.

✍ *Fórmula especial de colirio*

Esta fórmula ha sido empleada durante años con excelentes resultados y sin absolutamente ningún riesgo de efectos secundarios, cuando se asocia a un cambio de dieta y a la Terapia refleja y del color. Muchos casos de glaucoma, cataratas, manchas, nubes y tumores de distintas clases han desaparecido completamente. Estas gotas pueden aplicarse, una en cada ojo, varias veces al día. Continuar hasta que haya desaparecido el problema. Mucha gente ha superado por completo la necesidad de usar gafas. Y en todos los casos los ojos han mejorado mucho. Existe una gran cantidad de libros sobre ejercicios oculares, y sus sistemas resultan de gran ayuda para devolver la visión normal. Mucha gente haría bien en aprender y practicar esos ejercicios para asegurar la conservación de la vista.

Fórmula

5 partes (medidas) de agua destilada.
2 partes de miel de la mejor calidad.
1 parte de vinagre puro de sidra
(marca «Sterling» u otra buena marca).

Mezcla todos estos elementos y guárdalos en una botella. No precisa conservarse en el frigorífico, pues estos elementos no se deterioran. Si los ojos están en buen estado, los conservarás así empleando regularmente este colirio, pues no le causará nunca perjuicio alguno. Produce un fuerte escozor durante un momento, pero luego los ojos se aclaran y se experimenta una agradable sensación después de cada aplicación. Estas gotas han demostrado ser superiores a la mayoría de colirios comerciales.

❧ Fricción y suavizante de la piel

Todos estos distintos aceites y soluciones pueden mezclarse para constituir una de las mejores soluciones para fricción que existen. Cada ingrediente complementa y refuerza al otro, y entre todos ejercen una excelente acción para la mayoría de la afecciones antes mencionadas.

En un recipiente de 4 litros de capacidad, mezcla:

1 parte de ron de malagueta.
1 parte de loción de Hamamelis de Virginia.
3 partes de alcohol de 90°.
2 partes de agua.
2 cucharadas de linimento de alcanfor.
1 cucharadita de aceite de clavo.
85 g de loción de maclura.
30 g de aceite de ricino.
60 g de «Heet» (producto comercial).
30 g de vinagre de sidra.
115 g de una buena crema de manos y corporal.
60 g de miel (opcional).
7 g de eucalipto.
7 g de aceite de menta.
7 g de aceite de gaulteria.

Mezcla todos estos ingredientes y aplícalos sin diluir como tónico refrescante y muy beneficioso para el cutis y la piel. Todos ellos pueden encontrarse en farmacias.

El consumo de drogas

Descender al fondo del pozo es el peor modo de descubrir que ése no es el camino que lleva a la plenitud celestial de la que puede que uno haya oído hablar en repetidas ocasiones. Muchos jóvenes han buscado sinceramente un «*samadhi* instantáneo» en las drogas, sólo para descubrir demasiado tarde que era un camino equivocado. La gran cantidad de «clínicas para drogadictos» y de «centros de rehabilitación», ocupados en recomponer las vidas rotas y hechas añicos de nuestros jóvenes, son un signo de nuestro tiempo.

La necesidad de tomar drogas, del tipo que sea, ha sido enormemente exagerada. El desarrollo, elaboración y venta de esas drogas ha creado sistemáticamente un mundo de innecesaria adicción. Es pasmosa la libertad con que se usan estas drogas.

En general, el consumo de estupefacientes ha sido mínimo a través de la historia. Fue necesaria la aparición de la química y la medicina modernas, y la ambición de poder y de riqueza, para crear ese monstruo de la adicción y el sufrimiento. Las drogas que se empleaban para aliviar el sufrimiento han provocado la desdicha y el sufrimiento por culpa de la adicción.

Negándose a quedar al margen, la generación más joven ha puesto las manos, de forma comprensible, en todo aquello que podía conseguir, fuera lo que fuese, y le ha dado mucha importancia. Careciendo, como los propios adultos, de sentido común o de autodominio, de ello ha resultado un tremendo daño para sus cuerpos y sus mentes. Los delitos, robos y asesinatos se han incrementado paralelamente al incremento del consumo de drogas.

Devolver el golpe a nuestros padres y al mundo adulto en general, o querer igualarse con él, es el peor modo de demostrar que uno puede tener razón. Sólo añade nuevos problemas a los que ya tienen las dos partes. ¿Se debe uno comprometer con la debilidad y depravación de la civilización adulta en su búsqueda enteramente justificable de libertad?

El precio que pagamos por este abuso ha superado nuestra capacidad de costearlo y de convivir con él. La tendencia debe invertirse. El desarrollo, cultivo y elaboración de esas sustancias inútiles y adictivas debe desaparecer de nuestra sociedad si pretendemos llegar a crear un mundo mejor donde vivir. Sólo si nosotros mismos lo creamos, podremos llegar a vivir algún día en un mundo mejor.

Ya es hora de que la generación más joven revise completamente toda esta situación. Son los jóvenes y los llenos de vida quienes tienen la responsabilidad de efectuar cambios necesarios en nuestra sociedad. ¿Por qué esperar a la próxima generación? Esta renovación creativa no puede realizarse revolcándose en el lodo que las generaciones de más edad han creado. No dejéis que la ambición de dinero y de poder de otros causen vuestra ruina.

Las drogas no lo acercan a uno a la divinidad, ni lo liberan de unos imaginarios grilletes. Cuando el efecto de las drogas desaparece, los viejos problemas siguen sin resolverse y se les ha añadido otros nuevos. Las drogas disocian el cuerpo psíquico del cuerpo físico, y es muy difícil que el alma permanezca sana si el cuerpo está enfermo por las drogas.

Mientras el cuerpo psíquico está fuera del cuerpo físico, pueden sobrevenir muchas condiciones adversas, pues los controles de protección han desaparecido, dejando al cuerpo totalmente expuesto a las fuerzas destructivas o de entidades psíquicas inferiores.

Dejar el cuerpo bajo la acción de esas condiciones adversas arroja a nuestro psiquismo a un mundo de ilusión o al fondo del pozo de la confusión total. En cualquier punto de ese pozo se puede arruinar el cuerpo físico y dejarnos encallados en el mundo de la confusión, lo que no hace más que diferir nuestro viaje hacia los estados superiores del ser. El cielo, Dios o las cosas excelentes de la vida no se encuentran en las drogas y en la supresión del cuerpo físico.

La vía de las drogas es el peor camino hacia la realidad. Conservar la mente y el cuerpo libres de los degradantes efectos de los estupefacientes proporciona un poderoso incentivo para avanzar con más rapidez hacia la forma de vida más deseada.

El camino natural se resume en el factor de decisión de verse libre de todas las enfermedades. El Uno Universal no lo admite de otro modo. En la Luz del Saber Universal, todas las realidades resultan evidentes. Sin Luz Universal, no hay mucho hacia lo que mirar.

La medicina ha luchado sin éxito durante años por obtener respuestas acertadas, mientras los enfermos y los moribundos encontraban pocos motivos para respetar a aquellos en quienes habían confiado con tanta ilusión.

El camino de la medicina no se parece al camino natural universal por lo que respecta a la liberación de las enfermedades.

Después de haber dedicado una gran parte de mi vida a perfeccionar y simplificar un sistema curativo que está completamente libre de errores, carece de efectos secundarios y es muy barato, me vi obligado a vencer numerosos obstáculos que a menudo amenazaban con detenerme, pero persistí en mi empeño a pesar de los ataques jurídicos y médicos. Cada vez me decían que yo estaba haciendo demasiado bien, y para impedirme ofrecer la ayuda que resolvía sus problemas de salud me mandaron a la cárcel, a fin de que no pudiese ayudar a nadie más. Pero no fue así, puesto que en mi estancia en la prisión se me permitió ayudar a todo el mundo. Era legal ayudar a la gente que estaba encerrada, pero no a los que estaban en la calle. Muchos carceleros, enfermeros e incluso médicos acudían a mí para que les ayudara cuando los demás sistemas no surtían efecto. Dentro de la cárcel, yo no desmontaba su tinglado, pero en la calle ponía en peligro sus estafas. Si mi sistema fuese declarado legal, el sistema médico ya no sería necesario. Examina mi obra en su totalidad y ésta demostrará ser superior a cualquier otro sistema.

El ordenador humano

Una mujer queda embarazada, e inmediatamente la inteligencia divina que hay en su interior asume el control y se forma un niño. La mujer no tiene ningún dominio sobre cómo se colocan las distintas piezas. Todo está dirigido automáticamente por el divino ordenador que hay dentro de la madre y del nuevo ser que se desarrolla.

Para mucha gente, Dios parece muy lejano.
Si eso es así, ¿quién fue el que se alejó?

En el interior del ordenador humano hay almacenados datos completos que están continuamente en guardia para diagnosticar y recetar aquello que se precisa y determinar a dónde debe dirigirse para corregir el daño o suplir la carencia allá donde se produzca. El ordenador sólo requiere por parte de cada persona la mejor cooperación para que le suministre la materia prima que la naturaleza ha concebido para cubrir cada necesidad.

La capacidad del ordenador es estricta y absolutamente automática, dando instrucciones completas para que cada parte actúe de acuerdo con la naturaleza para cubrir sin vacilar la necesidad en cuestión.

Sólo cuando las personas ignoran las necesidades simples y naturales del organismo y se enredan con drogas del tipo que sea –legales o ilegales– y consumen alimentos desnaturalizados, cometiendo todo tipo de excesos, entonces es cuando caen enfermos y quedan impedidos.

Aun entonces el ordenador intenta ajustar y corregir la situación, al máximo de sus capacidades, con lo que se le suministra para que funcione.

Los diversos tipos de enfermedades revelan la incapacidad de su operador en cubrir sus necesidades, más que un fracaso del ordenador al desempeñar sus funciones a la perfección.

Todo lo que hemos dicho anteriormente elimina totalmente la necesidad de procurarse esas caras y extravagantes máquinas que el hombre ha fabricado junto con el elevado coste en vidas humanas que conllevan los errores.

Conociendo, como acabamos de decir, que el propio organismo posee la capacidad de diagnosticar, recetar y curar todo tipo de enfermedades y dolencias, lo realmente curioso es que la medicina esté continuamente tratando de crear máquinas cada vez más complicadas y más caras, a precios que están por las nubes, que de ningún modo pueden compararse con la perfección que posee la creación de Dios en cada individuo.

Recuerde: Ningún producto fabricado por el hombre, sea cual sea su precio, reemplazará nunca con éxito a la perfección de las creaciones de Dios.

La medicina ha llegado a un punto en que su precio excede la capacidad del hombre de pagar lo que ella ofrece.

La naturaleza, por el contrario, ha mantenido sus precios al nivel normal de la provisión y demanda de simples frutas, hierbas y otros alimentos en todo el mundo.

La anticientífica medicina siempre saca algo nuevo para demostrar que está muy lejos de poder satisfacer las necesidades de la gente. Pero ese algo nuevo siempre significa algo más caro, más complicado, más peligroso, más propenso a causar efectos secundarios y cada vez más alejado de los métodos simples y naturales, que son mucho más baratos y mucho más efectivos.

Con todo, si quisieran por lo menos estudiar la naturaleza más de cerca y ver lo que Dios tiene que ofrecer, encontrarían tal vez las respuestas —esas respuestas simples que han estado siempre ahí— que realmente surten efecto y que obran rápidamente.

Después de todo, la naturaleza es el mejor maestro. Ella sabe mucho más, sin duda, que cualquier miembro de la profesión médica, pues Dios la dispuso, por muy cerca de lo divino que algunos de éstos puedan creer que están.

¿No sería mejor que invirtiéramos el actual rumbo destructivo y le diéramos a la naturaleza una oportunidad para que muestre lo que Dios sabe hacer? Hagámoslo ya. La naturaleza lleva ahí desde hace mucho más tiempo que todos los médicos y sus sistemas, y continuará estando ahí mucho tiempo después de que todos los sistemas humanos se hayan desvanecido.

Volviendo a los métodos naturales, podemos reducir la necesidad de muchas atenciones hospitalarias y de tomar peligrosas medicaciones. La cirugía puede convertirse casi en una cosa del pasado, una horrible pesadilla producto de las frustradas esperanzas de la curación normal. ¿No es eso lo que necesitamos y lo que perseguimos? Piensa sólo en la infelicidad y el sufrimiento, y en las vidas que pueden salvarse acudiendo a los métodos de la naturaleza. ¿No merece la pena salvar esas vidas? Dejemos que la naturaleza demuestre que sus métodos funcionan con éxito, puesto que los métodos de la medicina actual están lastrados por una multitud de caros y mortales fracasos.

Las reglas médicas no exigen nada mejor –después de años de extensa y costosa investigación– que la utilización de muchas drogas de las que crean hábito y de la destructiva cirugía, hasta que exista un remedio. Pero si alguien se presenta con un remedio para todas las enfermedades, será tratado –y procesado– como un delincuente común, pues los tratamientos son más lucrativos que un remedio.

La enfermedad es la autoafirmación de un desequilibrio en la naturaleza. Cuando uno convive con un sistema imperfecto, lleno de errores, creado a partir de una parte de la verdad, uno se ofusca y desconfía de los cambios. Así es nuestro sistema médico de medicamentos, inyecciones y operaciones.

El sistema médico conlleva una gran responsabilidad y unos deberes que exigen más –mucho más– de lo que los simples mortales promueven para resolver los verdaderos problemas de las necesidades de los equilibrios físico y espiritual de los que están enfermos. La medicina carece del saber para corregir todas las enfermedades.

Un estudio afirma que 73.000 ancianos mueren cada año como consecuencia de reacciones a una medicación errónea

Por **NANCY WEAVER**

Redactora del Bee

Cada año mueren 73.000 ancianos en Estados Unidos a causa de reacciones adversas a la medicación, o de dosis erróneas

En California, los problemas con la medicación envían al hospital cada año a unas 180.000 personas, y esas atenciones le cuestan al Estado más de 500 millones de dólares, afirma Betty Yee, del State Senate Office of Research.

«Cada año mueren más ancianos por culpa de la medicación, no de la enfermedad, sino de reacciones adversas a la medicación, que todos los que murieron en Vietnam», afirma Kathy Borgan, del Chemical Dependency Center for Women de Sacramento.

Se estima que las personas mayores toman el 30 % del total de los medicamentos que se recetan y el 70 % de las medicinas que se pueden comprar sin receta. Por lo tanto, son las que sufren más problemas con su uso, según afirman los expertos en atención sanitaria a la tercera edad.

Como a menudo sufren múltiples problemas de salud, los ancianos tienden a estar tomando distintos medicamentos recetados por más de un médico, sin ser conscientes de que pueden ser incompatibles, afirma la señora Borgan, que trabaja en el programa de educación en la medicación para las personas mayores.

Las medicaciones suelen tener un efecto más poderoso en un anciano que en un paciente joven, y el médico puede no ser consciente de ese detalle cuando receta, afirma Borgan.

Por ejemplo, algunos medicamentos pueden permanecer más tiempo en el organismo de un anciano, pues sus funciones hepáticas no actúan con la misma rapidez para eliminarlos, afirma Borgan, quien da charlas a colectivos de personas mayores sobre el empleo de medicamentos.

La mezcla de medicamentos sin receta puede contribuir a los problemas derivados de una receta. Y cada vez más la gente mayor comparte pastillas, emplea medicamentos caducados o reemplaza medicaciones porque las recetas son caras.

«La medicina actual posibilita a la gente mayor llevar una vida mucho más plena de lo que nunca habíamos imaginado. Pero cuando la medicina no satisface sus necesidades, entonces se convierte en una amenaza», afirma Betty Brill, presidenta en funciones de la delegación en Sacramento de la California Medication Education Coalition. Brill insiste a los pacientes en que deben pedir a los médicos que les expliquen los potenciales efectos secundarios y les hagan oportunas advertencias. Los familiares que detecten un cambio en el comportamiento u otros posibles efectos de la medicación deben consultar a un médico.

Gardis Mundt, miembro de Families of Over Medicated Elderly (Familias de personas mayores sobremedicadas), que se dedica a educar a la gente sobre el empleo de los fármacos, afirma que su madre estaba a punto de comprarse un audífono, cuando descubrió que sus sordera se trataba simplemente de un efecto secundario transitorio de la medicación que estaba tomando.

«Dejó de tomar la medicación y ya no tuvo necesidad de ningún audífono», afirma Mundt, quien añade que el médico de su madre no le había advertido sobre los efectos secundarios.

La Asociación de Farmacéuticos de California patrocina un programa, llamado «la bolsa marrón», orientado a que los farmacéuticos miembros revisen las recetas de las personas mayores, a fin de evitar los problemas derivados de las peligrosas interacciones entre los medicamentos o de los que están caducados.

Se insta a las personas mayores a que echen todos los medicamentos que guardan en su botiquín en una bolsa marrón de papel para que pueda examinarlos un farmacéutico de los que participan en los diversos programas de revisión que se promueven.

El consumo de sedantes y medicamentos psicotrópicos por parte de la gente mayor en su propia casa es un problema que va en aumento. Borgan afirma que los ancianos estadounidenses toman, asimismo, el 40% de ansiolíticos o tranquilizantes que se recetan, tales como Valium, Haldol o Mellaril.

Borgan también señala que estos medicamentos a veces ayudan a una persona a soportar la pérdida de los seres queridos, pero que deben usarse con prudencia:

«Esa generación tiene esa mágica fórmula de pastillas. Están bien dispuestos a tomar medicaciones y demasiado ansiosos por hacerlo. Parte del problema reside en que en muchos casos son bastante ingenuos. Están siendo envenenados».

Índice

La curación por el ayuno

ALEXI SUVORIN

El ayuno es la terapia natural por excelencia. No hay enfermedad que se le resista. Cuando dejamos de comer, se pone en marcha en nuestro organismo un inteligente y complejo sistema que nos permite recuperar la energía necesaria a partir de las grasas acumuladas. Mediante el ayuno se produce una renovación celular que limpia nuestros tejidos. El ayuno limpia la boca, el estómago, el hígado, los riñones, los intestinos, etcétera. Ayunando adelgazamos y afirmamos nuestros sentidos.

Este libro es un verdadero clásico en su género. Alexi Suvorin nos relata sus extraordinarias experiencias con el ayuno y nos enseña a ayunar correctamente, racionalmente, sin peligros.

La cura de savia y zumo de limón

K. A. BEYER

La cura de zumo de limón es ideal para desintoxicar el organismo: le proporciona al cuerpo la posibilidad de reponerse, de regenerarse, de renovarse y de crear anticuerpos propios. Por el mismo motivo, es una excelente cura adelgazante que permite eliminar grasas sin efectos secundarios en tanto en cuanto el cuerpo no experimenta ninguna carencia, obteniéndose además una piel más fina y un creciente sentimiento de bienestar y equilibrio.

La técnica Clark para el tratamiento del cáncer
LOTO y AYAX PERELLA

Hay en la actualidad un gran número de terapeutas que, en los Estados Unidos y México, tratan con éxito casos de cáncer, muchos de ellos desahuciados por la medicina oficial. En la primera parte de este libro, los autores nos presentan varios de estos casos. La segunda parte está dedicada a la técnica llevada a cabo por la doctora Hulda R. Clark. El tratamiento del cáncer de la doctora Clark es un tratamiento desarrollado sobre bases científicas, sin cirugía, sin radioterapia ni quimioterapia, con medios naturales, que implica al paciente en su propio proceso de curación, y cuando ésta se consigue, la persona puede realmente disfrutar de una vida normal, no disminuida o condicionada por la toma indefinida de medicamentos con múltiples efectos secundarios.

Finalmente cada uno escogerá el sistema que más se acomode a su condición, su manera de pensar y sus planteamientos ante la vida, pero, por lo menos, este libro ofrece muchas opciones alternativas, y todas ellas válidas.

Limpieza hepática y de la vesícula

ANDREAS MORITZ

Tener un hígado nuevo es como contar con una nueva oportunidad de vivir.

Este libro propone una lúcida explicación de las causas de los cálculos biliares en el hígado y la vesícula, y por qué estas piedras pueden ser las responsables de las enfermedades más comunes que nos aquejan en el mundo actual.

Ofrece al lector los conocimientos necesarios para reconocer las piedras, y da las instrucciones «hágalo-usted-mismo» necesarias para expulsarlas en la comodidad de su casa y sin dolor alguno. También presenta las reglas claras para evitar la formación de nuevos cálculos.

La medicina patas arriba

GIORGIO MAMBRETTI

«La enfermedad es la respuesta apropiada del cerebro a un trauma externo y forma parte de un programa de supervivencia de la especie.»

«El cáncer tiene un sentido: es un programa inteligente de la naturaleza que busca la curación.»

«Un enfermo no es un conjunto de células escindidas de la realidad.»

Éstos son algunos de los descubrimientos de la llamada «Nueva Medicina» del doctor R. G. Hamer.

Aclamado por los enfermos, execrado por los médicos, el doctor Hamer colecciona diplomas universitarios en algunos países y procesos judiciales en otros.

Si desea más información sobre
La dieta de sirope de arce y zumo de limón

puede dirigirse a:

MADAL BAL EVICRO, S.L.
c/ Pintor Serra Santa, 15 bis, Local 10 08860 Castelldefels
Tel. 93 665 76 06 - Fax 93 636 40 08

La dieta de sirope de arce y zumo de limón
está distribuido en:

ANDALUCÍA
958 50 94 10

93 665 76 06
93 866 60 42

ARAGÓN, NAVARRA
LA RIOJA
976 25 25 26

MADRID
91 658 02 01

ASTURIAS, GALICIA
985 77 26 40

MURCIA, ALICANTE
96 543 08 54

BALEARES
971 24 56 20

PAÍS VASCO
943 88 10 70

CANARIAS
TENERIFE
922 62 96 10

VALENCIA, CASTELLÓN
96 390 43 94

CASTILLA, LA MANCHA
902 22 95 00

VALLADOLID
983 40 00 94

CATALUNYA

TELÉFONOS ACTUALIZADOS EN JUNIO DE 2006